Nobody

CAROLE MASSÉ

Nobody

roman

LES HERBES ROUGES

Maquette de couverture:
Jean-Marc Côté

Illustration de couverture:
photo de l'auteur par Micheline de Jordy
Illustration intérieure:
Andrew Wyeth, *Christina's World*, 1948

Photocomposition:
Atelier LHR

Éditions Les Herbes Rouges
Case postale 81, Bureau E
Montréal, Québec
H2T 3A5
Téléphone: (514) 525-2811

Distribution:
Québec Livres
4435 boulevard des Grandes Prairies
Saint-Léonard, Québec
H1R 3N4
Téléphone: (514) 327-6900
Zénith 1-800-361-3946

Dépôt légal: deuxième trimestre 1985
Bibliothèque nationale du Québec
Bibliothèque nationale du Canada

*à Robert Hébert, complice
dans ma traversée des Enfances*

Is there a word, or jest, or game,
But time encrusteth round
With sad associate thoughts the same?
And so to me my very name
Assumes a mournful sound.

Elizabeth Barrett Browning

We shall not cease from exploration
And the end of all our exploring
Will be to arrive where we started
And know the place for the first time.

T.S. Eliot

1

Je devais mourir à l'instant de son dernier souffle. Où que je sois, je saurais, transpercée, le moment où elle ne serait plus. De tout temps je m'étais imaginée incapable de survivre à son absence définitive ou plutôt, imaginant son dernier cri, je la voyais m'aspirer en une indéfinissable étreinte, et ne pouvoir plus m'y échapper. Je devais mourir à l'instant de sa mort, où que je sois, frappée soudain d'un même mal car m'unissant à elle de tout temps, au-delà de tout espace, toute raison, tout mot. Nous étions inexplicablement liées, à la vie à la mort, vivant la mort, mourant la vie, dans ce jeu de miroir infini où j'étais de même sa vie et sa mort réunies, moi incapable d'imaginer sa mort, encore moins capable d'imaginer ma propre vie. Dès lors incapable d'imaginer sa mort, nous mourions simultanément à l'instant où la vie pour l'une ou l'autre aurait fini; j'imaginais nos cendres réunies dans la même urne qu'on aurait immergée au fond de l'eau. J'imaginais notre mort au fond de l'eau qui scellait le secret de cette symbiose aspirant ma vie depuis le début de ma vie, me donnant la mort où je ne pouvais concevoir ta mort qu'à l'instant de n'être plus.

Je ne peux m'imaginer t'écrire alors que tu n'es plus. Je ne peux imaginer écrire que tu n'existes plus, toi que j'ai aimée au prix de ma mort, toi pour qui je suis morte jusqu'au bout de t'aimer, sans vouloir imaginer que la mort puisse ainsi nous séparer. Pourtant je t'ai écrit, de ton vivant, mon agonie amoureuse, mais sans que tu saches que ce livre je l'écrivais pour toi, me taisant quand tu me disais ta hâte de lire ce livre, craignant trop de te blesser mortellement par mon amour et cette violence sauvage de l'animal cherchant désespérément la sortie du ventre de sa mère. Je songeais au bout du fil, en écoutant ton rire enjoué de petite fille, aux moyens de te soustraire ce livre: le déclarer interminable, puis l'envoyer au-delà des mers, sous un pseudonyme. Je songeais à l'autre livre à venir comme à un sacrilège qu'il était impossible que j'ose écrire et faire lire à ma mère, et toute mon écriture était inconcevable. Je demeurais ainsi durant des heures, moralement déchirée entre ce que je désirais écrire, inacceptable pour elle, et ce que je devais taire, afin d'être acceptée d'elle.

Maintenant osant écrire que tu n'es plus, osant survivre pour écrire que tu n'existes plus, je veux écrire ces petites choses que je désire terriblement que tu saches, même s'il n'est plus possible pour toi de l'apprendre, pour que moi je le sache, moi, en mémoire de moi, désirant terriblement savoir ces choses que tu savais et que je désirais ignorer, ou que tu ignorais et que j'ignorais connaître.

Je t'ai aimée comme un homme aime une femme, comme une femme aime un homme, comme un homme aime un homme, une femme une femme, une femme son fils, une fille sa mère. Je t'ai aimée dans toutes les possibilités d'aimer, dans l'impossibilité même d'être satisfaite, là où il n'y a plus de mot pour nommer l'inconciliable amour qui nous lie le corps. Je t'ai aimée comme la mémoire de moi, préexistant à ma venue, naissant au début de ce siècle, à l'ère du cinéma muet, de la Première Guerre mondiale et des familles de quatorze enfants dont tu étais la cadette.

Rosa, rosa, rosam, rosae, rosae, rosa. Je déclinerais ton nom en toutes langues un an après que tu quitterais l'école, en septième année, et que, malingre et chétive, tu t'adonnerais difficilement aux travaux de la ferme. Tu mangeais peu. Aux Fêtes, tu courais à la cave cacher des pommes dans tes bas en remontant les patates pour ta mère. Tu aimais le pain trempé dans la crème et la mélasse, l'odeur des tartes que ta mère cuisait dans son poêle à bois, l'île où tu allais chercher les vaches malgré tes points au cœur qui te faisaient t'accroupir des demi-heures au milieu du champ. Tu aimais le poulain dont tu caressais infatigablement la robe blonde, qui un jour se déchira l'aine sur la clôture de fer barbelé: toutes les mouches s'engouffrèrent dans la plaie. Tu pleurais en le soignant. Tu pleurais aux cris des cochons qu'on égorgeait tous les ans et tu t'enfuyais dans l'île jusqu'à la tombée du jour. Tu pleurais de voir ta mère s'épuiser aux travaux domestiques et refuser l'aide de ses filles. Un après-midi, à la sauvette, tu terminas la corvée de raccommodage avant son retour. Le soir, tu descendais te coucher auprès de ta mère, dormant jusqu'à l'instant où ton père se mettait à jouer avec ses anneaux d'or aux doigts — un anneau d'or offert pour chacun de ses anniversaires. Alors, tu montais te coucher entre tes deux sœurs, essayant de rendormir ta peur.

Tu craignais le noir, les mendiants ronflant près du poêle les nuits d'hiver, la foudre des soirs d'orage où vous priiez tous à genoux. Tu craignais de vieillir, m'as-tu dit un jour, dans un restaurant, entre une tasse de thé et une crème glacée: «Ce que j'ai trouvé le plus dur dans la vie, c'est quitter mon enfance», m'as-tu dit, cet après-midi-là, à moi, bouleversée d'entendre ce que je confiais à mon analyste, aux deux jours depuis deux ans. Ainsi avais-tu souffert de ce dont je souffrais et tu avais survécu à ce dont je survivrais, ici même, en t'écrivant parce que tu ne peux plus m'entendre: je t'ai aimée comme jamais plus je n'ai aimé après toi.

Tu rêvais d'une poupée, enfant, tu l'imaginais, tu l'attendais, tu la nommais. Elle est arrivée pour tes douze ans quand ta sœur des États t'a fabriqué une poupée de son qui ne devait plus te quitter, que tu berçais en chantant, pendant des heures, au grenier. Tu m'as acheté d'innombrables poupées; chaque fin de semaine, des cahiers de poupées à découper qui furent mes plus grandes joies. Un jour, au retour de l'école, j'aperçus sur mon lit une garde-robe complète, taillée dans mes vêtements anciens et cousue de tes mains, pour ma poupée endormie dans son berceau. Enfant, je jouais à la poupée, seule dans un coin, pour mieux t'entendre marcher, cuisiner, laver en fredonnant. Je catine toujours quand l'angoisse est trop grande, quand j'écris un livre par exemple ou quand, après ta mort, je passai des soirées entières à découper ton profil, au fil de mes souvenirs.

Puis tes rêves se sont brisés sur le souffle rauque de ta mère, appuyée sur le bord de la table ou à demi couchée dans son lit, de lourds oreillers lui soulevant la poitrine. Mort bruyante qui te hantait l'ouïe à soixante ans, en me parlant d'elle, de ce son lancinant qui te rappelait sans doute quelque autre scène et quelque autre mort que ni toi ni moi ne pouvions retrouver pour notre propre compte. Alors ton père est rentré de l'étable. Tu l'as regardé s'asseoir dans sa chaise berçante, tu as vu son front lentement glisser vers l'arrière, ses lèvres très lentement s'entrouvrir. Mort silencieuse traversant tes yeux définitivement orphelins. Tu partis à dix-huit ans vers la ville pour travailler.

Tu avais aimé les grands chevaux dans les champs. Tu les regardais encore de ce regard mouillé et sacré sur les écrans de cinéma où tu m'amenais, enfant. Tu avais aimé danser et chanter dans cette maison du rang où les parents le permettaient, même admonestés par le curé, à la messe du dimanche matin. Tu avais aimé les carrioles où parfois tu montais chaperonner une grande sœur et son ami que tu quittais en chemin et qui te reprenaient le soir en rentrant. Tu avais aimé ta mère sans qu'elle n'eût jamais le temps de te prendre dans ses bras alors que tu me berçais des heures dans les tiens. Tu avais aimé ton père sans qu'il n'eût jamais le temps de te déclarer la plus belle fille du rang alors que tu me disais la plus belle qui soit: ressemblant comme deux gouttes d'eau à son père.

Mais l'autre jour, tirant mes cheveux courts derrière, me regardant dans ce miroir, pâle, amaigrie, le visage rongé d'angoisse, c'est toi que je vis. C'est toi que j'aperçus dans le miroir, les traits épuisés par une lutte inconnue, la bouche ouverte sur un cri étouffé comme si une main toujours te bâillonnait, qui s'avérait ta propre main.

Tu avais craint ce déchirement d'entrailles, ce pourrissement intérieur qui avaient tué l'une de tes sœurs, morte en couches. Tu avais craint ce gonflement difforme des chairs d'un cousin lointain de ta mère, atteint de syphilis. Tu avais craint ces petites masses de chair qu'une mère s'entêtait à allaiter alors qu'elle n'avait pas de lait, qui agonisaient sur son sein et qu'elle enterrait une à une derrière sa maison, voisine de la vôtre. Tu avais craint ton père, exposé au fond du salon, où tu passais en courant quand tu devais y passer seule, sans jeter un coup d'œil. Mais de ta mère auparavant, du corps de ta mère morte, tu ne parlas jamais. Tu ne perdis plus de sang après la naissance de mon frère: quatre ans. Après moi: huit ans. Sans ces arrêts de tes règles, tu aurais eu un troisième enfant dont tu pleurais l'inexistence l'année dernière quand tu me parlais de tes accouchements. Je pensais qu'un troisième enfant m'aurait sauvée de cette fusion mortelle avec ma mère. Mais cet enfant même, aurait-il été le vôtre, ou le nôtre?

Alors à dix-huit ans, tu remontes vers la cité et tu vas pleurer encore huit ans sur ce que tu as laissé derrière toi, ce matin-là.

2

Ici, je m'embrouille. Ici, je ne sais plus comment parler de toi, pendant huit ans, orpheline et libre, amoureuse et travailleuse, seule, complètement seule pour la première fois.

Depuis mes vingt ans, je n'ai cessé de te demander le récit de ces années avant que «lui» n'apparaisse et que mon histoire puisse commencer: «Là, maman, où j'étais impensée et impensable, raconte-moi ta mémoire et tes jours.» Je prenais des notes pour me rappeler plus tard, me disais-je, pour les utiliser dans un livre peut-être, mais ces notes chaque fois disparaissaient. Je les égarais en quelque lieu obscur et je revenais toujours avec la même question, tentant de lever l'amnésie qui s'abattait sur ta parole à mesure que je la transcrivais. Je savais que demain, tout m'aurait échappé à nouveau de ta réponse impossible à ma question impossible.

Combien de fois m'as-tu fait le récit de ces années d'entre-deux-rêves? J'ai oublié. Je n'ai rien retrouvé dans mes papiers. Je me résignais ces dernières années à réentendre le récit, à poser l'intarissable demande sans crayon, dans l'intenable position que cela devait m'échapper un jour. Car en fait, tout ce que j'ai écrit sur toi, je le tiens de toi, mais cela demeure sans importance. Ce que je raconterai de toi importe peu, l'histoire ne m'a jamais intéressée. Je cherche à travers ce semblant d'histoire une raison pour exister après que tu m'aies quittée.

C'est pourquoi tout ici maintenant va s'embrouiller. Est-ce toi ou l'une de tes sœurs sur la route ce matin-là, courant vers la rue Des Forges ou pressant le pas vers la gare? Qui est cette femme en 1934, seule dans les rues d'une ville inconnue, et qui a survécu à la mort de sa mère le 19 juin 1932?

Peut-être Florence ou Berthe, peut-être une étrangère dont je n'aurai jamais vraiment aperçu le visage, sauf son regard perdu au fond d'une photographie jaunie et poussiéreuse, figurante d'un drame qui aura été la projection de mes propres désirs inconnus. Peut-être moi, m'engouffrant au Cinéma de Paris, à l'âge de Marais, Gabin, Rosay, Darrieux, Raimu, Morlay, m'habillant de crêpe, de dentelles fines, de coton pur et me coiffant d'un bibi à plumes. C'est moi, partant vers la grande ville pour découvrir le parc Lafontaine où je marche pendant des heures, après avoir reçu les clients du dentiste, sis rue De Lorimier. C'est moi, arpentant cette inquiétante ville avec son Palais des Nains, sans oser mettre les pieds sur la rue Saint-Laurent.

C'est moi quand tu es toi devant moi, pensable et possible, et que je joue à la mère, revêtant tes crinolines, enfilant tes gants de soie, chaussant tes talons aiguilles. C'est moi quand tu es toi sans moi et que je rêve d'être toi avec personne d'autre que toi, m'imaginant dans ton ventre déjà, dans ces villes où je te vois au fond d'un livre noir, illuminé de tes mémoires photographiques, et où j'oublie toujours que je n'existais pas, à ce moment précis où tu souris debout près d'une amie. C'est moi quand tu es toi et que jamais plus je ne pourrai être toi parce que c'est moi qui cherche à travers toi, et toi à travers moi, comment moi je survivrai à la mort de ma mère le 25 décembre 1982.

Alors ces trajets des années trente, je ne m'en souviens plus parce que c'est toi et pas encore moi, jamais moi, et qu'il ne me reste que les tramways, le petit train, le boulevard Gouin, les pommes et les oranges que tu jettes à Berthe par la fenêtre. Il me reste ces quelques mots magiques qui te rendent à moi, au-delà de ta perte, qui me renvoient la tonalité précise de ta voix me remontant dans la bouche, chaque fois que je reconstitue une scène habitée de nous deux. Par exemple, quand tu montes l'escalier de mon appartement sur De Lanaudière, en novembre, une dernière fois, avec ce sac rempli de gâteaux et de chocolat comme si, chaque fois, tu t'assurais que je ne meure de faim loin de toi. Ou quand tu me téléphones le 23, en décembre, une dernière fois, avec ces excuses, cette incertitude comme si, chaque fois, tu t'assurais que je respire librement aussi près de toi.

Par la voix, oui, par la voix, nous ne pouvions être plus près toi et moi, nous téléphonant chaque jour, bonjour-comment-ça-va? Peu importe ce que l'on disait, c'était le son de la voix, le grain unique de l'autre voix que l'on se donnait par la bouche et que l'on désirait dans sa voix. Ta voix dans ma voix, je l'entends, j'imagine ta voix résonnant dans ton ventre où j'ai baigné, imbibée de ton rythme, de ta musique. Ma voix dans ta voix, je l'entends, j'imagine tes pleurs, l'an dernier, devant la beauté des choses, à te ressouvenir de ta jeunesse, de tout ce qui était passé. J'ai pleuré de t'imaginer pleurant ou plutôt j'ai entendu pleurer en moi: c'était toi, en pleurs, telle une enfant abandonnée que j'allais bientôt quitter. Car c'était bien ma mort que je voyais alors que tu partais en bateau, pour ne plus jamais revenir.

Ta voix, je la vois dans le noir de ces milliers d'appels téléphoniques. C'est dans l'invisible où nos voix s'étreignaient que je reconstitue le mieux la scène visible de ton corps, de ta vie où je t'ai tant aimée à cette époque où je ne suis pas encore née. C'est dans le noir de cette dernière chambre bleue, étendue sur le lit, où pour se parler sans fin nous devions nous répéter sans cesse, dans le plaisir de n'avoir rien de nouveau à dire, d'avoir sa voix à vocaliser, chanter, bercer dans le ventre invisible de l'autre voix, c'est là, dans la scène invisible de nos deux corps déportés dans la voix, que nous nous sommes vues le plus et le mieux.

Et que je t'ai vue dans les années trente, de ma propre voix pourtant inexistante, dans ces mots rares, secrets, où toute ta vie, me semble-t-il, se résumerait: tramway, docteur Mahère, boulevard Gouin, des mots qui deviennent «tes» mots, ta robe, la carnation de ta peau, grumeleuse dans le décolleté de ton corsage, paraffinée dans la saignée du bras, avec ton odeur que je retrouve en enfouissant mon visage dans l'oreiller. Puis je t'ai vue revenir à Trois-Rivières, travailler comme serveuse dans deux ou trois restaurants dont je me souviendrai toujours du dernier, Le Cordon Bleu, car c'est là bientôt que mon histoire va commencer.

Mais avant ce décembre 1941, où je suis infigurable et déjà secrètement désirée, avant que tu ne m'expulses huit ans plus tard d'entre tes cuisses, je t'aime aussi passionnément; alors à D, un après-midi d'avril ensoleillé chez Daphné, à D que j'ai aimée de ton vivant, mais en mémoire de toi, j'ai raconté notre rencontre en mai 1938, dans une salle de danse que tu fréquentais avec tes sœurs, ce soir-là où t'accompagnait un Anglais ou un docteur.

Je t'ai vue dans une robe bleue en crêpe de Chine avec ce corsage moulé d'une dentelle de Bruges, et mon cœur est parti comme un fou. Un coup de foudre c'est ça: le cœur qui s'arrache du corps devant la vision de la beauté du monde qui se résume dans la beauté d'un corps. J'ai quitté cet homme derrière moi. Je suis allée à toi comme on va vers sa mort en disant: mon amour mon amour. Je t'ai invitée à danser, à la surprise de ton compagnon, dans la complicité de ton regard qui, depuis tes douze ans dans ton grenier, m'attendait sans pouvoir me nommer.

En fait, B, ton premier fils, m'a baptisée en te rapportant ce nom de l'école. Tu as accepté pour ta première fille ce nom de C, mais A, le tout-premier, le non-né que tu as eu fut l'enfant tant désiré de ta propre mère. C'est A que nous n'avons jamais connu, qui nous séparait, B et C, radicalement de toi. Tu pleurais A en ce troisième enfant que tu n'avais pas eu après moi.

Tu as vu l'enfant de ta propre mère soudain apparaître devant toi, en ce printemps de 1938. Et tu as dit oui. Tu m'as laissé te prendre dans mes bras, t'enlacer comme à trois ans, en 1952, quand je m'endormais contre ton corps jusqu'à ce que mon père me ramène dans mon lit. Tous les couples sur la piste de danse nous dévisageaient: l'on s'étreignait telle une seule personne éperdue dans son miroir, chacune dans les yeux de l'Une, dans sa propre mère ou dans son unique enfant.

Tu disais oui. Tu me laissais te caresser le dos, la hanche, la cuisse, en glissant doucement ma main sur le flanc de ta vie comme à trente-trois ans, en 1982, quand je m'allongeai contre ton corps glacé mais apaisé, pour te caresser sous la couverture où tu avais rêvé ton dernier sommeil. Je rêvais que nous quittions enlacées la salle de danse; nous quittions la ville, le continent, nous voyagions de l'une à l'autre voix, seules au monde à nous réenfanter réciproquement.

Je racontais cela à D, de ton vivant; elle me dit alors de l'écrire. J'ai dit oui: «Un jour, j'écrirai ceci à ma mère.» Or, je l'écris après que D m'eut écrit sa propre douleur à la mort de ma mère, elle qui fut la première à qui j'ai dit: «Maman est morte», car elle fut la première à entendre cette scène d'amour que je n'avais osé jusque-là entendre pour moi-même.

3

Oui, je t'ai rencontrée souvent à la fin des années trente, au détour d'une rue, parfois les soirs d'hiver où tu marchais rapidement, relevant ton collet de renard que je porte encore au cou, preuve ultime que je t'ai bien rencontrée et aimée, sur un trottoir sombre quand tes yeux lumineux ont glissé sur moi, à l'angle d'une maison abandonnée où je me cachais du vent, pour t'attendre et te regarder passer comme on regarde passer sa dernière chance. J'avais ce manteau de lapin roux que tu m'as donné pour le Noël de 1980; je tremblais de froid à l'idée de te voir passer à nouveau sans t'arrêter, pis encore, à l'idée de te voir t'arrêter pour me parler. Puis j'ai sombré, à l'instant de voir tes yeux m'apercevoir, happée par cet appel au fond de ton regard, qui n'était que le pâle reflet de mon propre appel, sans espoir de demeurer sans vie, le reste de ta vie.

Plus tard, de retour au logis, mes yeux emportés par tes yeux sans savoir où, ma vie aspirée en ce mouvement de ta bouche s'entrouvrant alors pour chercher le souffle qui venait à te manquer, j'ai commencé la Lettre d'une inconnue, la Lettre d'une fille encore inconnue pour sa mère, mais qui est déjà sa propre mère quand elle n'a pas encore de mère, pour éviter de perdre définitivement sa mère. Je t'écrivais cette Lettre tout le jour, à la fenêtre donnant sur le port d'où affluaient ces odeurs salines ou goudronnées selon le cas, en contemplant les paquebots qui glissaient lentement vers la mort au bout de mes yeux qui ne les discernaient plus de la mer à l'horizon.

Je marchais en t'attendant le long du quai, quelquefois avec D, à la fin des années 70, que j'aimais comme ma sœur car elle te ressemblait encore plus que moi-même. Je te voyais en elle et, bras dessus, bras dessous, j'imaginais qu'en elle tu étais venue à ma rencontre, traversant le temps pour venir te coucher dans ma bouche et chanter. À Montréal déjà, nous avions arpenté les rues de l'ouest et, sur Crescent, je lui avais conté ce rêve où, agenouillées l'une devant l'autre, nous nous signions réciproquement le front de notre sang menstruel. Elle m'avait serré le bras, émue que je rêve d'elle et qu'elle-même rêve de moi: une nuit, de me sauver la vie. Bouleversée par la beauté de son visage qui rappelait le tien et le mien confondus, je lui avais offert un bracelet blanc en guise d'embrassement.

Ah! ces journées toutes emplies de la vibration inouïe des choses et de notre intensité d'être malgré la torture où j'étais de t'attendre, en cachette, à la sortie de ton travail. Tu sortais toujours du restaurant par la porte arrière, pour éviter d'être harcelée par des clients trop entreprenants. Tu traversais la rue principale de biais et t'engouffrais, un soir sur deux, au cinéma. Tu t'assoyais immanquablement à l'arrière, arrivant à n'importe quelle heure, le film déjà commencé dont tu voyais la fin avant le début, car l'histoire ne t'a jamais intéressée: tu cherchais à travers un semblant d'histoire une façon de subsister, sans autre passé.

C'est pourquoi j'ai tant voulu savoir ce qu'était devenue cette orpheline, cette femme errante persistant à survivre, et j'ai oublié pour oublier que cela puisse m'advenir et moi, m'anéantir. C'est pourquoi je te suis dans la rue jusqu'au cinéma où je m'assois dans la dernière rangée du côté droit, pour mieux contempler ton profil et le port manifeste de ta féminité. Qui es-tu? Semblable à cette jeune femme, en 1975, au métro Jarry, que je suis longtemps sur la rue Saint-Denis, fascinée par la grâce de sa démarche, par quelque particularité d'être ou de se poser dans l'espace, telle l'ultime énigme du féminin.

Qui es-tu? Prise entière par l'image sur l'écran, sur le

Quai des Brumes où tu deviens toi-même Michèle Morgan, la plus belle femme du cinéma parlant. Tandis que je te vois aux prises avec l'image mouvante de ton propre désir, je suis éprise de ton image qui m'est tout le cinéma américain des années 40, celui que j'ai vu avec toi dans les années 50, sur le petit écran de télévision, les après-midi de mon enfance et les soirs de ma jeunesse. Qui es-tu? quand je me rapproche de toi dans le noir, tentant d'apercevoir le secret qui me dissimule ton sein ou le rêve qui dort sur ton sexe. J'ouvre mes cuisses sur tes cuisses, dépose ma tête sur ta poitrine: tu me berces dans la cuisine en chantonnant. J'ouvre mon sexe sur ton sexe, enfouis mes sanglots dans ton cou: tu me consoles avant de partir pour l'école. Je m'endors enroulée autour de ton corps parce que papa rentrera maintenant trop tard.

Parfois tu souris en me reconnaissant car nous sommes les seules femmes seules au cinéma. Puis je rentre avec cette blessure lancinante à l'oreille: tes éclats de rire que je retiens précieusement sous la main, au risque de me crever le tympan. À l'appartement, une serviette humide sur l'oreille qui sile comme un obus sur le point d'éclater, je me terre sous les draps et, au réveil, le sang a giclé sur ma taie d'oreiller. Le choc me secoue chaque fois, pareil à un cauchemar que je n'arriverais pas à me remémorer, jusqu'à ce que la chair déchirée de ma gencive sous ma langue m'apaise et que le souvenir d'une dent de lait arrachée la veille, changée en menue monnaie sous l'oreiller, me ramène le tintement de ta voix. Ou jusqu'à ce que l'image floue du jour, du mois, de l'année que j'ignore traverser, en l'absence d'un calendrier, même d'une simple croix sur les murs de la chambre, me tire de mon ventre, du cauchemar hémorragique, et m'insère dans ma destinée menstruelle dont MM m'a prévenue la veille. Mais Michèle Morgan, en chair et en os devant moi, saigne-t-elle? Souffre-t-elle de ce transpercement au flanc qui me ravage, n'ayant eu de père pour me reconnaître, ayant dû naître du rêve d'une femme éprise d'une image à jamais irrattrapable sur tous les écrans de cinéma?

Décidée à franchir le pas, à fouler du pied les convenances du temps, de la raison, voire de la passion, je suis allée rendre visite à Michèle Morgan au restaurant où elle travaillait dix à douze heures par jour, six jours par semaine et le cœur à l'envers les jours de fête. Assise à l'une de ses tables, j'ai ouvert un livre que je feignis de lire pour mieux l'observer à la dérobée. Je lui commandai le menu du jour, espérant masquer derrière les opérations multiples de déglutition, le tremblement de mon corps à la résolution duquel je m'occupais mentalement. Mais le manque subit d'appétit et l'état de somnolence qui s'ensuivit l'assurèrent davantage de l'indifférence présumée de ma démarche. *L'Entrée des Artistes* la hantait, me glissa-t-elle à l'oreille, particulièrement le propos de Jouvet affirmant qu'il faut être comédien, et bon comédien, pour sentir. Je tressaillis comme tout être qui entend, dans la voix de son amour, la vérité indissimulable de son être à laquelle son propre amour l'assujettit.

Devinait-elle ainsi que j'étais venue avant que «lui» n'apparaisse ici, à la place exacte où j'étais assise, avant que toute cette histoire doive alors s'effacer et que leur histoire puisse commencer? Je lui récitai:

Cette vie
Que sans toi je n'aurais pas connue.
Que ne m'a-t-on, par charité,
Laissée enfouie dans la matière —
Heureux néant, insensible et gai —
Au lieu de ce cuisant supplice!

et lui offris le livre d'Emily qui ne cachait plus mon bonheur. J'avais marché en quête de son pas, en marge de toute communauté, et la distance soudain abolie m'introduisait à la solitude nue, traquée par la route du retour ou le souffle d'un corps natal. Fuyant la mort indéfiniment, y périrais-je maintenant corps et biens?

Me voici montant l'escalier de son appartement, en novembre, une première fois, avec un sac rempli de fromages, de fruits, de pâtisseries françaises. Je frappe doucement à la porte, invitée à ma propre vie, abandonnée à la simplicité de ma propre mort. Un soleil couchant surgit brusquement d'une fente dans un mur qui, jusqu'à ce jour, constituait ma seule perspective sur l'extérieur. Des cris d'oisillons fusant de ma ténèbre intérieure, je mets instinctivement ma main en visière: j'entrevois, dans un tourbillon de poussière, B et C juchés sur la table de cuisine, le bec ouvert, les pattes battantes dans le vide. «La neige t'a aveuglée», me dit MM, me voyant presque glisser sur le parquet. Sa mémoire me remonte dans la bouche, avec ce goût de pâte à gâteau dont elle nous gavait à la cuillère qu'on léchait jusqu'à ses doigts. «J'ai couru dans la tempête et l'immobilité parfaite de ta chambre me renverse», lui dis-je, avec la conviction d'une mourante qui renaît à la vue de mains tranquillement croisées sur un ventre qui n'est pas encore le sien.

La pièce est minuscule: des lits jumeaux couvrent la plus grande étendue visible depuis la porte et de ce moment indatable où, affamée, je cherche une place libre dont la vue donne du moins sur le festin. Une petite table tout-usage, à manger, à coudre, à tenir sa correspondance, dépouille ce qui reste d'espace de l'imaginaire du voyage dans un intérieur gorgé de pénombres et de secrets. Car la table nue, en coin, referme le dernier mur sur une cuisinette dont la modestie et la propreté confirment mon avidité qui n'est déjà plus de ce monde. MM partage l'appartement avec Claire, une copine de travail présentement en vacances à Montréal, dont je me rappelle soudain le décès, l'année dernière, qui t'avait tant affectée. Tu ouvres ta radio Marconi sur la musique de laquelle tu t'endors chaque nuit, une berceuse t'étreignant à ta solitude à mesure que tu t'assoupis en cette nuit ultime de toi-même. J'admire tes napperons, crochetés avec la patience d'une arrogance toute domestiquée, que j'ai conservés dans mes cartables à l'instar des pages écrites de ta main tandis que le reste, tous les objets manquants, je sais les avoir déjà enterrés, incapable de supporter qu'ils te survivent.

Nous nous sommes mises à table, parlant de tout et de

rien, de Joan Fontaine dans *Jane Eyre*, de l'improbabilité de la guerre, de sa robe neuve, au décolleté carré dans le dos, que je parvenais moi-même à zipper en escaladant une chaise. On l'avait marchandée chez un Juif de la rue Mont-Royal, à la différence de sa jupe de laine qu'elle défroissa du revers de la main en retournant à la cuisinette: elle l'avait payée un prix exorbitant dans un magasin de l'ouest, à l'époque où le trajet dans les autobus bondés du samedi matin durait près de deux heures. Nous mangions peu, intimidées par ce premier rendez-vous. Elle demanda si le récit de son dernier rêve m'intéressait. «J'aime les récits inachevés», lui répondis-je simplement, fermant les yeux, charmée par une berceuse au creux de mon oreille.

Ferme tes jolis yeux
Car les heures sont brèves
Au pays merveilleux
Au beau pays du rêve.

4

MM s'était endormie, cette nuit-là, sur un chant de Noël. Elle se réveilla, tremblant de froid, dans une carriole. Le flot de couvertures par-dessus la tête, le fond de briques chaudes à ses pieds ne suffisaient plus à contrer le vent glacial qui la pénétrait. Elle reconnaissait son village natal, Bécancour, d'où la carriole l'emportait, à vive allure et par secousses grandioses, au-delà de redoutables obstacles, volant librement dans l'air du soir vers une destination inconnue. Un cri la fit tressaillir dans ses entrailles. Elle reconnut la voix de son frère derrière des lèvres étrangères et un corps d'aspect rebutant. L'étranger fouettait les chevaux qui pleuraient tandis qu'il hennissait de plus belle, jetant des coups d'œil affolés à sa montre de gousset. Arriverait-on à temps pour la naissance de l'Enfant-Dieu? Telle était la question qu'elle entendit sourdre soudain de la démence du voyage qui les précipitait plus avant vers un abîme de glace.

Elle reconnaissait les lieux, mais ils surgissaient en éclairs aveuglants, d'un autre temps, d'un autre monde dont l'étranger s'avérait le chantre, fredonnant sur l'air d'une ronde enfantine: «Tout ne fait plus qu'un, à la Noël de 1901...» Elle apercevait son profil modeler sa douceur, son effroi ou sa méchanceté sur la physionomie d'un loup, d'un cheval ou d'un aigle qui le façonnait au point de rendre méconnaissable la bête humaine sous-jacente, fixée vers le but de cette course folle contre la montre, contre la vie ou la mort? ne le savait-elle encore, qu'elle n'ignorerait plus la dilapidation de leurs haleines hors des limites du corps. Une douleur la fit brusquement se plier en deux, lui révélant dans l'extase et la terreur qu'elle seule deviendrait mère à minuit, mais qu'ils n'arriveraient jamais à temps pour déposer l'enfant dans la mangeoire des bestiaux. Une seconde douleur libéra ses entrailles d'une masse sanguinolente qu'elle coucha sur son ventre. L'étranger ayant perdu contrôle de la carriole à l'instant de la mise bas, jeta sa zibeline sur la mère et l'enfant à la vue duquel il recula, horrifié: «C'est Virginie, notre mère!» Sa montre éclata comme une balle en plein cœur. Il tomba à la renverse; dans la neige, les yeux exorbités, le cheval était dépecé par les pièces du harnais.

La carriole sans cocher filait à travers les heures, les années, les siècles, l'infini stellaire, tirée par la multitude, les masses humaines rugissant de désir et de douleur. La mère contemplait sa mère vagissant sur son ventre et se replia en position fœtale, à l'image d'un voilier enserrant la mer sous ses ailes. Elle tira de ses dents les couvertures jusqu'au menton. L'océan glacial coulait dans ses veines. Elle sentait, avec l'acuité amoureuse, qu'elle s'endormirait bientôt pour l'éternité. Car elle avait retraversé d'un rêve toute la mémoire et la mère, et ne pouvait désormais plus laisser son ombre derrière.

MM leva son verre qu'elle vida d'un trait. Une goutte de vin coula sur son menton, imprégnant sous la lèvre inférieure, une tache ancienne que j'essayais en vain de me rappeler. L'hôtesse était livide, presque statufiée, malgré les virevoltes de sa jupe autour de sa taille en l'absence de tout courant d'air. Je me résignai à attendre que la tempête intérieure cesse.

Le sang, de nouveau, afflua à ses joues. Son regard, peu à peu, reprit possession des objets autour d'elle. L'ébrouement d'ailes de sa robe s'apaisa. L'on n'entendit plus que le lèchement du tissu sur les chairs ressaisies dans la cage d'une main invisible. Je me contemplais dans le miroir d'un magasin de la rue Saint-Hubert, moulant cette robe bleue sur mon corps, le souffle coupé à me revêtir d'une robe semblable à celle de ma mère, jadis. Plus tard, je la lui offris, avec une lettre d'amour retrouvée dans sa table de chevet, intacte à l'exception de longues coulées d'encre en grappe au bas des pages.

«Ça va?», risquais-je. MM hocha la tête sans émettre un son. Un chant s'exhala alors de mes lèvres:

Ferme tes jolis yeux
Car tout n'est que mensonge
Le bonheur est un songe
Ferme tes jolis yeux.

MM sourit. Le silence régnait. L'on s'écoutait, l'on se touchait sans remuer ni lèvres ni doigts. Le temps n'existait pas. Nous dessinions dans l'espace la figure centrale de la seule réponse d'amour à l'insoluble question de notre origine. Car l'une devant l'autre, nous ne doutions pas un instant de nous aimer, de nous désirer, depuis un temps antérieur à notre venue, à notre rencontre, à la croisée même de nos regards, depuis ce premier moment où l'on ne voit plus que soi, séparée de l'autre, et dans l'obligation de le supporter, en mémoire de soi. Mais nous doutions de nous être rencontrées, même si nous nous faisions face. Nous doutions de nous être connues puisque nous parlions, sans parler, depuis le début, dans le désir de cette impossible connaissance et dans l'amour de ne pouvoir, par ailleurs, le reconnaître.

MM avait fermé les yeux. C'est là, je le savais, qu'elle me voyait le mieux, dans la fantasmagorie de ma mise en scène de cette rencontre qui n'avait pas lieu et que j'écrivais pour l'inconnue qu'elle me demeurerait jusqu'à l'instant de ma mort. Je voulais tracer le portrait d'une femme que j'avais aimée, les yeux fermés, dont j'avais, un après-midi d'hiver, refermé les yeux sur le mystère de sa voix se levant à ma rencontre à la façon d'un voile derrière lequel j'imaginais me retrouver.

«Qu'est-ce que tu veux?», me demanda MM. «Un bébé!» Elle n'a pas entendu. J'ai répété: «Un café.» J'allais vers elle et, debout, à la hauteur de ses genoux, je répétais: «Donne-moi un bébé!» Aucun autre souvenir de la réponse que l'impossible réponse à l'impossible demande que je lui adressais inlassablement, et je la quittais, le cœur gros, pour consoler ma poupée dans son berceau. MM m'offrit une pointe de gâteau blanc. Je retrouvai, sous la dent, la moiteur de sa chair, l'effluve de son corps, la brûlure de sa gorge, les nuits où elle cherchait vainement à m'endormir dans ses bras. Maman goûtait un mélange de gâteau Lucienne, de beigne et de pouding chômeur; le frimas de ce gâteau au chocolat trois-étages, nappé de crème fouettée, rappelle la porosité de son épiderme fondant sous mes lèvres. De mon goût d'elle témoignait encore une anecdote qu'il me pressait de raconter à MM.

Il était une fois une fillette de six ans que la malédiction avait tirée au sort pour jouer Marie aux côtés de Joseph devant la classe. Elle aperçut Jésus dans ses langes, caché sous le pupitre de la maîtresse, alors qu'à genoux sur une chaise, elle recevait la visite de l'archange. La fillette demeurait sourde et muette. La maîtresse s'impatienta: «Tu ne veux pas être la Mère de Dieu?» «Je veux ma maman!», hurla l'enfant qui fut renvoyée aussitôt à sa place. Quelques années plus tard, de son gré, la fillette tint le rôle de Joseph et tomba amoureuse de Marie tant leur bébé dans ses bras était admirable. Quelque vingt ans plus tard, elle retrouva la poupée sur une étagère du rayon des jouets chez Eaton, et s'enfuit avec elle dans les bras. Sur Sainte-Catherine, bousculée par la foule du temps des Fêtes menaçant de les piétiner, elle crut s'évanouir de peur. Elle craignait d'entrevoir son désir la dévisageant sous la figure d'un homme perdu dans la foule, mais surgissant soudain devant elle pour l'écarteler dans la mémoire. Or, elle ne voulait se souvenir encore que du souvenir de sa mère.

Il était tard. La tempête faisait rage. J'allai à la fenêtre tandis que MM desservait la table. Je craignais l'obscurité de la ville, les rafales de vent, le sommeil sous la neige. MM m'offrit le lit de C. Émue, je ne trouvais plus de mots, comme si je me retrouvais nue dans la baignoire, avec mes bateaux, mon canard, mes deux lapins, feignant d'ignorer la main de ma mère qui me lave le visage, le corps, particulièrement cet espace entre fesses et cuisses, sa chevelure dénouée glissant jusqu'à mes pieds qu'elle embrasse en riant. MM rit à son tour de mon embarras qu'elle ne comprend pas, ajoutant qu'elle me réveillerait quand elle partirait. J'étais d'accord, mais surtout enchantée et je feignais d'être intimidée, malgré ce réel désir de dormir une nuit sous ses yeux.

5

Lumières éteintes, une ombre le long du mur fuyait les barreaux des fenêtres derrière lesquels un être demeurait prisonnier. La chambre grinçait sous le froid. Je gardais les yeux résolument ouverts: je voulais percer le mystère de cette nuit qui s'écoulait enfin à côté d'elle. Je songeais à un cadeau de Noël pour MM. Elton John? *My gift is my song, Where both could live. L'Aimant* de Coty? Quand je fixai de nouveau les fenêtres de la prison, à mon étonnement, des paysages entiers y défilaient à vive allure. Le corps maintenant crissait sous le froid. Je me précipitai hors du lit, me retenant aux meubles tant la chambre était secouée. De la fenêtre, j'aperçus MM au bout d'un quai, une valise à la main. Elle chantait:

> *Marie-Madeleine*
> *Son p'tit jupon de laine*
> *Sa p'tite robe carreautée*
> *Son p'tit jupon piqué.*

Un paquebot voguait à sa rencontre. À peine avais-je crié, agité les bras, qu'elle s'engageait sur la passerelle et la cheminée, déjà, fumait à l'horizon.

Je sortis en trombe de la chambre, emportant sa robe bleue debout à côté d'une chaise. Je me retrouvai dans le couloir d'un train dont les wagons se déroulaient devant moi à l'infini. Il fallait me couvrir car ma main gauche s'engourdissait sous le froid, courir car chaque seconde m'éloignait d'elle, et enjoindre le conducteur de freiner sans délai. Or, je n'arrivais ni à courir ni à me vêtir ni à rejoindre la locomotive dans ce dédale de voitures vides et recouvertes de frimas. Épuisée, à moitié habillée, je ralentis le pas, torturée à la pensée de ne plus revoir MM.

Sur ces entrefaites, j'aperçus une dame assise sur une banquette, à l'avant d'un wagon joliment décoré, avec des rideaux se balançant aux fenêtres. À mesure que je m'approchais d'elle, les secousses du train s'apaisèrent. Une paix nimbait cette inconnue vêtue d'une robe de taffetas noir, chaussée de bottines maculées de boue. Je lui demandai la permission de m'asseoir à ses côtés. Elle me l'accorda avec déférence. En ramenant les plis de sa jupe contre elle, je notai une multitude d'anneaux qui lui étranglaient les doigts. Quelques bagages et un journal sur le siège d'en face attirèrent mon attention. Le journal titrait: «La Course à la mer», un peu plus bas, une photographie me fit penser à la guerre. La dame se retourna alors vers moi et, à brûle-pourpoint, me questionna sur les raisons de ce voyage.

Je rentrais chez moi après un séjour en maison de repos, dans la ville de M. L'on m'y avait soignée, ajoutais-je, pour une maladie nerveuse dont on ne trouva point de remède, et pour une plaie inexplicable au côté droit où l'on diagnostiqua un stigmate miraculeux, bien que je ne crusse pas en Dieu. C'était la seule explication logique qu'on avait pu fournir sur l'état de déchéance physique dans lequel je me trouvais. Sur ce, je sortis de mon corsage un tampon taché de sang que je jetai dans un sac de cellophane. J'expliquai que ma plaie saignait ainsi sporadiquement et je glissai un second pansement sur mon flanc. La dame observa en souriant qu'elle était enfin soulagée de ces problèmes-là. Sa réflexion souleva une telle rage en moi que je refrénai un désir fou de la frapper et me résolus à ne plus lui adresser la parole du reste du voyage. Je tournai la tête vers la fenêtre.

Allongée sur la banquette, la tête enfouie dans les cuisses de la dame: sa main caressait mes cheveux avec une douceur qui me fit monter les larmes aux yeux. M'étais-je évanouie à côté d'elle? M'avait-elle couchée sur elle, malgré mon refus du sommeil ou de l'abandon à la volupté du moment? Le tic-tac d'une horloge se substituait aux secousses du train dans son ventre contre lequel ma tête ballottait. Je savais: je dormais bien dur, étendue sur le côté droit, le visage enfoui dans le ventre de la dame. Un bruit distinct de pas éveilla soudain en moi une angoisse grandissante. Une présence inconnue, maintenant derrière mon dos, me faisait gigoter pour m'extirper de mon sommeil. La dame et le nouveau venu conversaient tout bas. Parmi un flot de sonorités étrangères, je captai le vœu impérieux de la dame que l'enfant naisse à temps: le 14 septembre 1915. J'essayai alors d'agripper, traînant quelque part dans la nuit de ma conscience, un feuillet du journal dont l'en-tête confirmerait l'époque que je présumais vivre: l'été de 1911. Monet devait mourir dans quinze ans, Woolf n'avait pas encore rêvé *la Traversée des apparences*. Puis un cri déchira soudain ma conscience: «Albert! Est-ce que tu m'écoutes?» Ce nom me retourna violemment comme un fœtus, à son insu, vers la lumière. Les yeux de l'homme s'écarquillèrent devant mes yeux, du fond de mes yeux. C'était A!

Une douleur me transperça si brutalement le côté que je crus expirer. On m'allongea sur la banquette. Une voix familière commanda des sels, une serviette d'eau froide. Les doigts étranglés me coiffaient, boutonnaient ma robe, finalement glissaient la serviette sur ma plaie. Mon grand-père, assis devant moi, me regardait, visiblement affligé du sort qui semblait le mien. La dame m'interrogeait sur la nature de l'apparition à la fenêtre qui m'avait mise dans un tel état. Je ne savais quoi dire. Je ne quittais pas mon grand-père des yeux. La dame ajouta que je devrais prendre davantage de repos, essayer de dormir pour une fois. Mais moi, je voulais d'abord résister aux pièges de l'endormissement.

La dame et mon grand-père se levèrent presque aussitôt pour se hâter de descendre au prochain arrêt. Or, je savais que ce train ne s'arrêtait jamais. Quand la dame se fut éloi gnée de quelques pas, MM parut debout dans son ventre, me faisant signe de la main. Sans hésiter, je me jetai aux genoux de la future parturiente et la suppliai de ne pas m'abandonner. Elle eut pitié. En fait, je ne voulais plus quitter MM maintenant que je l'avais retrouvée. À l'instant, nous débarquions sur le quai, et la fumée du train s'effilochait à l'horizon. L'on marcha une partie de la nuit dans une campagne déserte où s'élevait de l'opacité de la terre, de l'obscurité des racines et du bourdonnement incessant de la végétation, un chant pur et cristallin:

Ô nuit de paix! Sainte nuit!
Dans le ciel l'astre luit;
Dans les champs tout repose en paix...

MM scintillait dans sa voûte céleste et me distanciait dangereusement au-delà des remparts que le couple depuis peu avait franchis, me livrant affamée, à bout de souffle, à la sécheresse des champs, à la ténèbre des herbes folles où ma raison s'enlisait. Ma main bleuissait de froid et je perdais tout espoir de la sauver à mesure que, suivant aveuglément ce couple, j'acquérais la conviction de n'avancer à rien. J'arrivai enfin en vue d'une immense maison, sans murs, où se dressaient, victorieux des épreuves du temps, un poêle et une porte. Mes compagnons de route disparurent au loin, derrière la porte, avant que je n'atteigne, au petit matin, la lisière du poêle. Résignée à cette seconde séparation d'avec MM, non à l'idée de me réchauffer des ardeurs de cette froidure intemporelle, j'ouvris la porte du fourneau et m'y allongeai, dans l'irrépressible envie qui me torturait depuis la descente du train: «Maman! J'ai fait pipi dans l' lit!»
Les draps mouillés me réveillèrent en sursaut, confuse et honteuse de cette franche délectation. Dans le noir, je distinguai la chambre aux lits jumeaux, à la fenêtre, l'affiche publicitaire d'Export, enfin MM couchée à mes côtés, qui levait ses draps. Un vêtement trempé s'affala sur le plancher. Je plongeai dans les draps phosphorescents de MM. Je lui

signalai l'affiche publicitaire, le portrait en médaillon d'une femme dont les yeux, dans le cadre de la fenêtre, illuminaient régulièrement la chambre: «Regarde, c'est toi. Le monde lève les yeux vers ta beauté qui s'érige au-dessus de la ville. Je resterai toujours avec toi.»

Plus tard, elle me chuchota à l'oreille: «N'oublie pas ta prière.» Mais je ne savais pas encore prier. Je l'écoutai psalmodier, fascinée par de telles sonorités veloutées sur ses lèvres, comme si j'apprenais d'elles à parler. Car il me semblait n'avoir plus de langue qui me fasse déclarer: «Je veux parler», et c'est là, pourtant, dans une certitude fondée, qu'il m'avait fallu arriver. Il m'avait fallu remonter à l'instant d'une masse de chair suspendue à un corps comme à son seul salut, sans langue pour jouir de la langue qui la lèche, la lave, l'allaite. Plus tard, ne sachant plus quand je dormais ni quand je m'éveillais, enjambant les époques pareilles à quelques rues étroites dans une ville étrangère, remontant ou descendant le cours des choses selon qu'il me fallait rejoindre quelque événement, quelque mot ou quelque être qui m'avait laissée là, devant ou derrière... Plus tard, ne reconnaissant plus le rêve de la veille, le réel du récit, la Lettre à l'inconnue du livre inconnu, que ça devenait tenter un portrait mais n'esquisser que du désir, encore du désir, se vouloir biographe, mais ne pouvoir que son phantasme, sa fiction désenchantée sur un être qui a vécu, parlé dans l'incomparable tonalité qui fut la sienne et qui se perd, malgré cette main cherchant en vain à réinscrire la transparence d'une voix dans l'épaisseur de l'écriture... Plus tard, aux premières lueurs de l'aube, la chambre résonnait de battements d'ailes, et je me levai sur la pointe des pieds.

Je découvris une cage d'oiseaux au fond de la pièce, dissimulée derrière les battants ouverts d'une armoire. À mon approche, un oiseau s'échappa, tournoya autour de la chambre et s'enfuit par la fenêtre béant sur le jour. Je défaillis presque, mais son chant dans la lumière irréfrénée de l'aurore me consola de sa perte. Je verrouillai la fenêtre, refermai les battants de l'armoire. Sur le point de repousser la grille de la cage, la vision d'un second oiseau immobile sur son perchoir me sidéra. La chambre résonnait de cet appel d'enfant en cage qu'aucune porte ouverte n'avait convaincue de sa liberté et qui, terrifiée, s'entortillait maintenant sur le plancher, les oreilles bouchées de ses poings sur son chant inexistant.

Un parfum capiteux embaumait l'air. Le cadeau de sa vie. *I'd build a big house, Where both could live. L'Imprévu.* Des branches s'infiltraient dans la chambre par un carreau brisé, pullulaient sur le plancher, submergeaient une partie de la cuisinette. Certaines rampèrent à mes pieds, me ligotèrent et me secouèrent comme un pommier. Une sphère rouge étincelante s'échappa de mon ventre, roula quelques instants sur le sol, éclata contre le pied du lit. Les doigts renouvelèrent l'assaut.

6

Les yeux ouverts, j'aperçus enfin MM penchée sur moi, ses doigts tapotant mon épaule: «Je pars travailler. Pars quand tu voudras.» Je balbutiai. Il me semblait ne pas avoir fermé l'œil de la nuit. Pourtant, mon corps se retrouvait dans l'exacte position du coucher: allongé face au mur, le bras coincé sous les côtes, la main pendant dans le vide, insensible petite main morte. Je la frictionnai machinalement, le regard tourné vers la fenêtre où la brume s'opacifiait en ce corps matinal de ma bien-aimée. Je balbutiai ma crainte d'avoir souillé son lit, mais je n'eus qu'à laver sa robe de nuit de quelques gouttes de sang. Cet incident, insignifiant aux yeux de MM, devait accentuer pour le reste de l'histoire, mon sentiment de culpabilité et celui de ma profonde indignité.

Après son départ, je restai au pied du lit, la nuit sommeillant encore dans mes membres, et n'épuisant pas le visage bien-aimé qui se reflétait dans la chambre, malgré ce pressentiment que le navire était entré dans les ténèbres inatteignables du regard, même du silence où je couchais ma voix en esclave sans nom qui ne fut d'abord que le tien. Baignant dans la lueur du monde extérieur, je traversais en jeune esclave, libre des chaînes de la connaissance, les intérieurs passés des 3208, 8244, 8371, 8428, 8469, enfin 8238 où je me recroquevillais au seuil de sa porte maintenant qu'elle ne se refermerait plus sur ton pas. Ici, j'habitais la septième et dernière demeure de ce château intérieur où je ne pouvais ni récupérer ni me séparer de l'instant insaisissable de ton naufrage dans l'océan de millions d'années, au centre d'une chambre, dont je m'affranchissais épisodiquement en cette marche vers mon écrit, où je retraçais infatigablement ceci: tout l'intraduisible d'une rencontre irréelle où je t'avais pourtant réellement aimée.

Je longeais la gare ronflant à côté de ton logis, là où je te perdrais, où je t'avais depuis longtemps perdue, incapable d'abolir la distance des âges ou d'abattre cet arbre supplicié sous ta fenêtre qui était l'arbre de la généalogie. Je piétinais dans la neige, derrière ce qui me fuyait vers un été perpétuel, vers cette fenêtre face au port où je me voyais sans regard arriver, exténuée, sans vouloir me reposer ni dormir, simplement m'affaler sur une chaise où j'écrivais que c'était l'hiver quand c'était l'été. Je ne dormais plus depuis longtemps, parfois ma tête ballottait sur mon bras, le temps de m'échapper pour courir de nouveau vers toi alors que je venais à peine de m'arracher à toi.

Le lendemain je te téléphonai, était-ce une heure après, à ton travail, ou quelques années plus tard, à ton nouveau logis, je ne me souviens plus. Entretemps la guerre avait éclaté, je me souviens. L'on voyait ce petit homme noir et moustachu aux actualités alors que je ne te voyais plus au cinéma. L'on était pourtant sorties dans les années qui suivirent notre première rencontre, sans que je ne sache si l'on était amantes, amies, ou simplement amoureuses de ce bel homme qui nous faisait danser les samedis soirs, au bal où je t'avais croisée la première fois.

Les plus beaux instants de ma vie demeuraient les dimanches après-midi où, main dans la main, nous nous amenions au Plaza, au Villeray ou au Crémazie pour voir *les Aventures de Huckleberry Finn* ou *le Tour du Monde en 80 jours*. Alors le monde tenait dans tes bras, je dérivais sur ce radeau en quête de toi, de cette liberté au goût d'éternité à ne venir et mourir que de toi, de cet irreprésentable cinéma. Puis il y eut ce jour où je n'allais pas encore à la maternelle, où D avait à peine un an; tu la berçais dans tes bras. Moi, dans ton ventre, j'ai abattu mes poings: «Tu l'aimes plus que moi!» Surtout cette fois au bout du fil, une heure ou trente ans après, qu'importe: devoir me préférer entre tous, même si je t'invitais seulement au cinéma pour *la Bête humaine*, et te revoir une seconde fois. Tu m'as dit ne plus être disponible depuis ta rencontre avec RJ; j'ai compris que tu lui consacrerais désormais tout ton temps libre.

Crispation de la main sur le récepteur qui me fit sursauter, m'agripper au crayon qui venait à peine de glisser entre mes doigts, le temps de ce délire préalable à l'endormissement de mes cinq sens ou à l'été, que je refusais toujours de constater là devant, à la fenêtre, sur De Lanaudière. C'était plus fort que moi, j'avais toujours froid. J'étais glacée à la pensée de ces années que je n'avais pas vécues à Trois-Rivières, où je résumais mon corps dans cette infranchissable distance entre une gare et un port. Comme si la géographie de ma vie, antérieure à ma venue, se dessinait autour de la gare où nous avions débarqué il y a cinq ans, moi attendant D et toi ta sœur. En sortant, tu m'as indiqué cette maison en coin, sur la rue perpendiculaire à la gare: «J'ai vécu là à ton âge.» Et l'on vous a quittées, l'on a marché bras dessus, bras dessous jusqu'au port où D vivait sans âge à mes yeux, comme un souvenir vivant de toi ou un avenir s'achevant sans toi. Je découvrais Trois-Rivières, perdant mes yeux d'enfant qui y fêtait Noël en famille presque tous les ans, depuis 25 ans. Quand nous sommes rentrées à M, sur le quai où j'embrassais D et toi, ta sœur, j'ai pensé que nous avions été peut-être les deux sœurs filles du même père ou les deux enfants mères d'un même aveuglement. Cette fois-ci, nous sommes reparties ensemble, quittant chacune cette autre femme, figure siamoise de notre image fêlée dans le miroir devant lequel nous nous maquillions pour dissimuler ces rougeurs aux yeux. Notre vie se déroulait soudain sous nos yeux, aux deux extrémités d'une ville inconnue en chaque ville connue, tel un voyage provisoire entre deux arrivées et deux départs. Dans le train, nous n'osions plus nous regarder ni parler: nous ne pouvions imaginer, un jour, nous reconnaître ou nous nommer dans une foule, depuis cette coupure que notre amour nous camouflait.

C'est pourquoi je m'agrippai au crayon, malgré ce roulement sourd des vagues sur les rails, où l'histoire nous emportait, qui m'engourdissait et me faisait tanguer de la tête sur l'épaule de ma mère s'engloutissant déjà à moitié dans le paysage à la fenêtre. Je m'agrippai, repoussant par trois fois cet évanouissement dans le rêve éveillé de ma mère qui était ma sœur ou ma fille peut-être, ma grand-mère ou ma petite-fille, je ne savais plus. J'enfonçai mes ongles dans la pulpe du crayon jusqu'à ce que la douleur me tienne suffisamment éveillée pour réécrire la douleur de la perdre, elle, dans cette Lettre à une femme inconnue sur le quai d'une gare ou d'un port, que je n'aurai jamais revue une seconde fois. Car les étrangers arrivèrent, t'emportèrent dans un sac noir, scellé, sanglé sur une civière où mes yeux tombèrent en poussière. Terre! Terre! Il n'y avait plus que cette profondeur abyssale de la terre où enjamber les morts, les restes, toute ma vie, pour entrevoir qui m'avait enfantée et parlée, une seconde et dernière fois. Il n'y avait plus que la noirceur de ce ventre immense, minérale et animale, où creuser un passage à travers les débris des siècles et les cadavres cordés qui font la langue, pour entrevoir une première fois la figure du secret qui moulait la forme indescriptible de ton corps, qui allumait la flamme de ta voix dans la forme intraduisible de notre corps en corps. C'est pourquoi je m'accrochais au papier, suspendue à moitié au-dessus du gouffre où l'on t'emporterait définitivement loin de moi, quand je tentais encore de retenir un peu de notre vie, de notre souffle lié dans le train nous ramenant à M, brisées mais non séparées.

Puis j'ai pensé rester à Trois-Rivières pour rester plus longtemps avec toi, pour ne pas voir sourdre l'irréparable au bout d'un quai à Montréal, en pénétrant dans ta chambre sur le bout des pieds comme si je pouvais encore te réveiller. Je suis restée là, au bout du fil, quand B m'annonça: «Dans la maison tout est tranquille; maman est dans son lit.» J'ai hurlé: «Je veux un enfant!» Mais l'on ne pouvait qu'entendre: «Je le savais!», et ce même gémissement qui m'étouffait à l'instant d'entendre que tu allais me quitter pour «lui» et accoucher de B en décembre 1944, à la veille de l'armistice. Je t'ai frappée la nuit même en plein visage, dans ce rêve où tu me quittais pour «lui» et deux enfants de l'âge de B et C, je t'ai frappée à la figure, là où tu étais si belle par les yeux, hurlant: «Comment oses-tu me quitter ainsi définitivement?» Comment oses-tu mourir ou jouir sans moi quand je resserre ma prise sur l'interrupteur pour m'accrocher à ta voix, pour ne pas voir ta fin et ne nous concevoir que dans ce début d'avant le commencement où j'apprends que tu vas me quitter, mais où je savais que tu m'avais déjà abandonnée pour lui qui deviendrait mon père, et pour moi dont tu accoucherais en mars 1949, presque au milieu du siècle, au sein de la guerre froide.

Je suis restée là, au bout de la phrase, suspendue dans le vide, au milieu de la Lettre à une femme que je n'avais ni connue ni rencontrée, seulement inventée, autour de 1939, dans les rues d'une ville imaginaire qui offrait aux lecteurs cette épaisseur de véracité, à se déployer dans la souffrance réelle de mon deuil.

7

À l'encontre de l'histoire, MM ne devait pas rencontrer RJ en décembre 1941. C'était bien avant, je le sais, j'y étais. J'avais reconnu l'homme en ce compagnon de bal, le soir où j'ai rêvé l'inviter à danser. L'obscurité s'épaississait et les rives s'amincissaient. Le navire disparu, il ne restait plus que leurs visages entrecroisés progressant dans la douceur automnale de la connaissance totale à laquelle je me livrerais, malgré le vacarme dans la ville où des milliers d'enfants tapaient du pied à l'idée que j'accosterais bientôt ma destinée. J'étais moi-même avec un homme que j'aimais entre tous les hommes, dont je n'aurais pu me séparer, même pour elle. Mais je contemplais ce couple, la ville endormie, lorsqu'il déchirait le voile de la nuit tombante de leurs valses tourbillonnantes, strié d'éclairs ou ondoyant de flots, selon les lumières du hall ou les reflets du fleuve entre lesquels il glissait.

Je les épiais tournoyant, s'entrelaçant sans arrêt au fond de mes yeux tandis que mon amour et moi dansions et nous embrassions. Ils me rappelaient ces lapins à salopettes, rose et bleue, que je m'amusais à faire s'étreindre sous la couverture, dans le lit de ma mère, les samedis matins. Je les revis souvent par la suite, du moins MM au tout début, que je dénichais au détour d'une maison, à l'angle caché d'un mur, se protégeant du froid et l'attendant. Je glissais subrepticement un regard sur elle, relevais mon collet de fourrure afin qu'elle ne me reconnaisse point et que je puisse les observer en secret. Je ne le voyais jamais arriver, en ce premier hiver si rigoureux qu'il me laissait l'impression d'être complètement seule, le cœur gelé entre quatre murs. Pourtant je savais: elle l'attendait et il arrivait chaque fois après que j'eus disparu au coin de la rue et fermé les yeux, le reste du trajet.

Joan Fontaine attendant Louis Jourdan près d'un square. C'est en elle que je t'ai retrouvée, un après-midi devant la télé, pour revoir *Letter from an Unknown Woman* et entrevoir le roman où j'écrirais de ta place, à quelques pieds d'un restaurant, une Lettre à une inconnue qui ne serait autre que moi-même, perdue en chemin dès l'instant où je découvrirais ta place déserte. Il y avait bien le restaurant d'où le hasard allait m'éconduire, mais je refusais toujours de voir où mon histoire avait réellement commencé et où ton histoire s'était terminée. Alors je rentrais dans le livre, recherchant ce souffle qui venait à me manquer d'imaginer l'histoire que j'avais ratée, et réinventant cette histoire pour m'en consoler. Je m'écrivais chaque jour l'énigme de son apparition, en 1939, deux ans avant que l'histoire ne lui permette pour toi d'exister. Je ne le voyais jamais arriver, pourtant je savais qu'il surgirait à l'instant où je m'y attendais le moins.

Par exemple, à l'orée de la cuisine, une nuit de 1962, après t'avoir réveillée, couchée à ses côtés. Il s'est approché de nous dans le noir; à son apparition, je courus vomir dans l'évier. Ou ces nuits des années 50 où je rêvais d'un corps pressé sur mon corps à qui je murmurais reste, reste... qui était le sien que j'étreignais sous les couvertures. Ou ces toutes premières années où je me retrouvais à ses pieds, à nouer et dénouer ses lacets, enfouie entre ses cuisses à le supplier de me «flotter», à cheval sur ses épaules pour le peigner et le dépeigner sans répit. Et si je remonte plus loin, à l'époque où il n'était pas encore apparu dans le roman de ta vie, je vois un couple si beau que je n'arrive guère à distinguer qui est le plus beau des deux.

Lui ou toi, je ne sais plus qui je suis, à la tombée du jour, quand vous partez chacun à la rencontre de l'autre,

44

dans les méandres de cette ville si sombre qu'elle n'est plus que le labyrinthe de ma propre anamnèse, où je me demande sans fin qui je suis, lui ou toi? Lui ou toi, parce que je ne vois jamais que l'un ou l'autre et non les deux à la fois, en ce regard tronqué me soustrayant à la vision de ma disparition momentanée entre lui et toi. Ou c'est toi, chez le fruitier de la rue Villeneuve, qui ouvre la glacière et me sidère par la splendeur de ton profil. Fatiguée de l'enfer, fatiguée de ces fouilles dans les souterrains de ma préhumanité. Ou c'est lui, dans l'autobus Côte-de-Liesse, qui me pétrifie dans la nudité de notre face à face. Fatiguée du mal, fatiguée de cet arrachement du manuscrit aux voyages hors du monde terrestre. Ou je te fuis, abandonnant raisins et fromages au comptoir, ou je le suis dans les couloirs du métro, dans les corridors de ma fascination, me demandant ce qu'il est, ce qu'il a, ce qu'il n'a pas su de moi, croisant mon regard la première fois: ma fatigue d'être, ma fatigue du savoir hors de ma portée moulant mon corps vers cette heure d'arrivée qui sera l'heure de ma mort. Je le suis jusqu'au bout de la remémoration, là où je tremble parce qu'il est trop beau, et je me résous mal à l'avouer: je ne verrais plus que lui si ce n'était de toi.

Voilà où j'ai perdu l'inconnu dans la foule. J'ai couru de place en place, m'arrêtant à chaque vitrine pour dévisager les acheteurs anonymes qui se pressaient aux comptoirs. Je croyais m'évanouir d'angoisse à l'idée de ne plus le voir ressurgissant dans ma mémoire pour m'écarteler de plaisir. Mais je savais qu'à cet instant précis, il venait à ta rencontre, à l'instant où je disparaissais au coin de la rue en me fermant les yeux. À ce moment-là, il accourait vers toi sans mémoire, porteur de cet unique présent dévasté où il t'étreignait contre la muraille, parmi les pierres du terrain vague et les ordures que les bêtes reniflaient de leur museau, entre les odeurs du désir et celles de la décomposition, dans l'ivresse de son sexe dressé qui creusait ta robe entre tes cuisses. Quelle autre espérance la nuit de son haleine devait-elle pénétrer? Quelle autre énigme les vagues de son souffle devaient-elles lécher? Vous montiez à *l'Hôtel du Nord*, vers les clameurs de la bête collective en vous en train de s'entredévorer. Tu demandais s'il aurait eu envie de se tuer s'il ne t'avait rencontrée; je répétais inlassablement, en écho à sa voix: «*Non, car je n'aurais jamais eu envie d'être heureux.*»

Le souffle du désir devenait l'essoufflement de la ville ramassant entre ses blocs de pierre les multiples rêves d'existence, les vagues d'extase, les forces de déréliction, et exhalant sur les façades des maisons le bouillonnement des corps, la vibration des morsures, la pulsation des vents en l'immensité des mers intérieures. Alors en ce pays de sauvagerie, déambulant entre terre et mer, chaque ruelle crachait donc sous mes yeux, au détour d'une disparition incompréhensible, l'illumination de vos deux ombres confondues qui brûlaient au centre du monde, au centre de ma propre inexistence que je traînais entre passé et avenir, entre les places de la gare et du port à Trois-Rivières.

8

Dans les plus sombres carrefours de ma mémoire, vous circuliez en tandem, sous les traits de Madeleine Robinson et de Pierre Brasseur que je reniflais de très loin, derrière la porte même du fourneau d'où, la truffe à l'affût, je déguerpissais à vos trousses. Vous aviez beau me jeter des pierres, j'étais ce chien battu qui vous collait aux fesses dès que vous vous hasardiez dans la ville. Je jappais si fort au moindre de vos baisers que l'un ou l'autre devait me flatter pour me faire taire. Je pissais contre les murs quand l'envie me prenait, de peur que vous ne vous esquiviez derrière mon dos. Parfois, je mordais la main ou la jambe de qui semblait s'affranchir de la peur que je me redresse. Je suivais mes maîtres et je grugeais sans vergogne les encoignures de leur album de photographies. Je me souviens de l'année de ma métamorphose car je me reconnaissais dans les aboiements de ce petit homme noiraud et moustachu qui brûlait l'écran. Je détalais de honte, la queue basse entre les pattes. Je me terrais dans ma niche de crainte que les passants ne le reconnaissent sous mon déguisement, pis encore, refusant de se reconnaître, pour noyer leur chien, m'accusent de rage. C'était en 1939, quand la Guerre camouflait de nouveau la violence de leur propre guerre et que j'avais déjà perdu mes deux guerres.

Et puis, ne faut-il pas, un jour passer aux aveux? J'ai suivi l'inconnu jusqu'au bout, sans jamais perdre sa trace en cours de route. J'ai attendu une heure, près d'un marchand de journaux, pour le voir ressortir de la gare de Trois-

Rivières, une valise à la main, toi à son bras. Une photographie jaunie et rongée sur les bords l'atteste: au milieu des cris, des sifflements, des grondements de la ville, vous poignardiez de jalousie l'apathie présumée de la foule refermant ses flancs sur votre passage, et les yeux brillants de fièvre, les lèvres rougies par l'ardeur charnelle, vous vous enfonciez vers le cours des événements et des choses qui illustreraient, dans le sommeil profond de la vie, le rêve éveillé de vos secrets accouplements. Un photographe ambulant a couru après vous pour vous offrir le cliché en échange de quelques sous. Lui hésitait, toi, tu m'as souri en tendant tes mains en aumône. Il m'a payée. Je vous ai salués machinalement, du revers de ma casquette. Comme vous vous éloigniez, j'ai boutonné instinctivement mon paletot, relevé mon col, en nouant bien mon foulard. J'étais décidée à vous suivre jusque tard dans la nuit, s'il le fallait: l'appareil-photo en bandoulière, je vous ai pris dès lors en filature. Lui, c'était son métier, je l'apprendrais beaucoup plus tard. Moi, c'était une facette de ma recherche d'un sens à l'existence.

Vous avez erré longtemps dans la ville fardée de blanc, fumante de la buée de ces milliers de bouches souffrant de l'engelure des mots dans la dureté de l'hiver. Vous alliez, d'un pas presque aérien, pareils à des êtres hors du temps, traversant les objets, les corps sans remuer l'angle de leur emplacement ni l'orientation de leur parcours, mus par la seule jouissance de votre présence mutuelle, devant laquelle l'opacité du monde s'évaporait et la matière du songe transparaissait. Je zigzaguais péniblement, trébuchant quand l'excitation excédait la part qu'il m'était loisible de tolérer, entre les passants, les automobiles et les tortueux recoins de votre itinéraire sans but; j'aboutis dans une impasse comme à l'orée d'un lac de glace où je patinai quelque moment avant de tomber le cul à l'eau et battre énergiquement des mains pour m'applaudir, et me réchauffer un peu. Vous faisiez halte dans un restaurant à la vitrine duquel je vous observais vous draper de cette profonde indifférence quant au reste de rugissement humain qui flottait à cette heure, au-dessus de la terre, lorsque, sautillant sur un pied ou sur l'autre, brûlant cigarette après cigarette dans la vaine quête de mon flegme passé, j'osai interroger ma lucidité. Brusquement, je reculai dans la saignée de la ruelle, écrasai la cigarette sous mon talon: vous m'avez effleurée de vos odeurs animales et, aurais-je balayé vos visages du plus puissant phare à ma portée, qu'il n'aurait jamais transpercé la nuit où baignait votre regard, car ce regard était vide, vos yeux ayant glissé vers l'intérieur.

Puis ce fut un long détour pour revenir presque au point de départ, près de la gare. J'ai attendu que la lumière surgisse de l'une ou l'autre des fenêtres du logis, que les ombres s'estompent, enfin qu'elles se fondent derrière les paupières closes des façades. Et je suis partie. J'arpentai la nuit de la ville, ce vaste grenier abandonné où la nostalgie humaine, grossie de l'unique senteur de poires mûrissant à la fenêtre de l'un de mes souvenirs, me frappa en plein cœur: pour longtemps encore, je ne trouverais plus de repos. Je menai, en effet, ma propre enquête, notant les heures d'entrée et de sortie de la famille, des visiteurs, des étrangers que je filais à leur tour, à l'affût d'indices qui m'instruisent sur le couple. Je pris quelques centaines de clichés, dissimulée dans la foule, derrière des arbres ou les rideaux de ma chambre, louée de l'autre côté de la rue. J'observais aux jumelles les silhouettes suspectes; je compilais mes informations, montais ce dossier volumineux devant lequel, souvent, je m'arrêtais, interloquée par l'ampleur de cette chasse policière. De quelle Faute, en fait, les soupçonnais-je? Pourquoi, parmi ces visages anonymes traversant journellement l'œil de ma caméra, les y avoir piégés, eux, à leur insu? De quelle Vision étais-je la captive, dont j'essayais de me déprendre en tendant ces filets sans fin dans lesquels je me débattais? Il y allait, dans cette investigation qui sous peu deviendrait accusation, de ma raison d'être, ce qui me faisait soupirer, devant les piles de renseignements secrets, que je n'avais jamais eu le choix.

J'étais descendue dans une ville étrangère afin de capter

l'Inconnu sur pellicule. J'avais dû me prostituer pour survivre et me payer cette quête de l'Invisible derrière les images de la ville. Je cherchais un Visage derrière les paysages les plus insolites, et voici qu'en un jour, sacrifié à mon infâme gagne-pain, parmi ces objets que j'engouffrais aveuglément dans ma lentille, la figure tremblante d'un couple me creva les yeux. Qui étaient-ils? Tous les sites s'engloutissaient en eux, avec les racines de ma vue. Cette figure gémellaire, de quel Péché originel la culpabilisais-je? Ne les incriminais-je pas de cette Séduction même dont j'étais la proie, n'élaborant plus que des plans subtils de harcèlement et de voyeurisme? Les pièces à conviction étaient rassemblées. Mais le dossier du procès traînait dans les lacis inextricables de ma mémoire qui pressentait un mot, imprononçable, derrière cette procédure pénale. De quel Crime devais-je donc les inculper?

C'était en 1939, je me souviens, le petit homme noir et moustachu brûlait les livres à l'écran. Je quittais la salle de cinéma, en proie à des crises d'étouffement. J'arpentais jusqu'à épuisement la ville malpropre, insalubre, où s'enlaçait ce couple. S'il n'était ni receleur, ni assassin, ni Juif, au Nom de quoi pouvais-je condamner ce couple? Le foulard en muselière, la tête engoncée dans les épaules, je rasais les murs comme un *kapo* à Treblinka. Minable, en quête d'un alibi afin d'assouvir une simple vengeance que je n'osais identifier, je marchais, sans visage qui pût être dit le mien, parmi les sifflements des trains et les sirènes d'alarme.

Au détour d'une rue, surgit une ombre que je heurtai à l'épaule. Je ramassai promptement son chapeau projeté sur le sol sous l'impact, bredouillai quelque formule d'excuse. L'inconnu me demanda du feu. Tandis qu'il époussetait son chapeau, l'enfonçait lentement jusqu'au bord des yeux, je fouillais les poches de mon pantalon. Devant cet homme à la tenue impeccable, cravate nouée, complet taillé dans le tweed le plus fin, souliers cirés, je ressemblais à un clochard. Je retrouvai mon vieux briquet. J'allumai. L'inconnu se pencha vers la flamme. Toi!

Tu me saisis par les épaules et m'adossas contre le mur. Mon cœur! Mon cœur! Je quittais cette femme debout derrière moi, j'allais à toi comme on va vers sa perte en balbutiant: je t'aime je t'aime. Je tremblais. Tu m'allumas une cigarette. Je te regardai enfin calmement dans les yeux: j'étais éperdument amoureuse. Tous ces mois de battue afin de traquer ton regard au coin d'une rue et m'en laisser pénétrer. *Pour qui sonne le glas*? Pour moi qui ne pouvais plus invoquer d'alibi pour me disculper de ma violence, qui avais forgé tout un réquisitoire sur ce mot imprononçable d'envie. Et devant toi, ce soir-là, je plaidai coupable, de désir, contre la servitude à laquelle mon bas âge me livrait, pieds et poings liés. Car j'avais beau la suivre, elle, comme un chien ou te suivre, toi, sous les traits d'un photographe, je n'en étais pas moins une enfant de quatre ans, abandonnée au pouvoir des grands qu'elle réduisait parfois à la dimension de deux lapins enlacés sous les draps, dont elle se vengeait par des jeux de massacre: en sautant les deux pieds joints sur sa poupée préférée, ou, debout sur le trône, en projetant des deux mains le train sur le plancher des toilettes. On ne pouvait plus jeter des pierres au chien ni dénoncer le maniaque à la caméra; dans la destruction, j'avais l'impunité de l'enfance. Je pouvais m'accrocher à ses jupes ou me jeter à tes pieds, j'avais l'innocence de mon jeune âge pour excuser mes crimes, l'ingénuité de mon embryon de conscience pour me blanchir de mes meurtres. J'avais la candeur de ma presque inexistence pour me laver de tout désir. Or l'on est que ça, toujours, dans sa vie quasi fœtale: désir, inassouvissable désir. Parce qu'on naît autant qu'on aime, mais qu'on aime autant qu'on hait.

Et je t'aimais et te haïssais tout à la fois, m'éloignant de toi, tremblant d'avoir aperçu ma mort au fond de tes yeux. Je rampai vers ma chambre tapissée de coquerelles, envahie de moutons gris sous le lit, les chaises, la table, pareils à des touffes de cheveux sur un crâne dégarni. À la fenêtre, je guettai ton retour qui ne tarda guère. À ton apparition au bout de la rue, j'ai suivi ton regard jusqu'à la fenêtre d'en face où je la surpris t'envoyant un baiser de la main. Je fermai les yeux, m'affaissai à la table disposée ostensiblement devant la fenêtre. Une pile de dossiers s'y entassaient, restes de ces rêves de goulags qui fauchent toujours l'image intolérable du Couple dans la pensée de sa solitude. Je flanquai ces élucubrations à la poubelle, tel ce journal personnel que j'enfouis régulièrement dans un sac à déchets et que je jette à la rue afin de laisser place sur la table à cette Lettre à deux inconnues qu'on élabore dans une fiction, en tentant de résoudre l'équation incompréhensible de ses origines.

9

Ma fenêtre n'a jamais donné sur le port. Ni à Montréal, ni à Trois-Rivières, ni en une mémoire, existence ou connaissance qui ne soit d'abord nuit si massive que nulles terre et mer ne puissent s'en détacher. Ma fenêtre ouvrait sur cette autre fenêtre où je lisais les déplacements d'un couple dont le désir ne m'avait jamais échappé. J'étais exclue de ce désir dont j'étais faite, qui me défaisait comme un tricot. Je désirais l'une ou l'autre sans jamais céder à l'idée de l'une et l'autre. J'étais l'entre-deux, pour posséder deux êtres et ne consentir à naître d'aucune scission.

Le port était l'idée que j'avais de la liberté, jouant dans la baignoire avec un canard, trois bébés requins et un bateau que je coulais, avec tous ses passagers. C'était les figures de Cary Grant enlaçant Dietrich sur son voilier, puis les dimanches matins où tu nous conduisais effectivement au port, où nous marchions tous les quatre, des goélettes aux péniches, des cargos aux remorqueurs, avec ces yeux tristes de vouloir s'en aller, chacun pour quelqu'un à qui le cacher. C'était le traversier de Trois-Rivières où je me tenais debout entre tes jambes, avec l'impression d'entrer dans une église parce que toi, tu ne chantais pas, tu imposais le silence. Elle nous photographia et de là, sous mes yeux, m'est rendue la mémoire douloureuse de tous ces ans où tu m'as peu, si peu parlé. Étrange. J'écrirais une infinité de livres sur elle sans pouvoir écrire une seule ligne sur toi. Car il était une fois cet homme dont je ne peux parler vraiment, ni de sa vie ni de sa mort, dont je ne peux m'approcher qu'à travers la figure de cette impossibilité, qu'à travers cette absence dans la structure de ma langue. Parce que tu as peu, très peu parlé, parce que tu es parti au moment pour moi d'arriver, parce que tu désirais oublier en moi l'enfant que tu n'avais jamais été. D'orphelinat en orphelinat. Maintenant, je comprends ces mots que tu répétais, en rentrant tard dans la nuit, j'entends cette violence modulant tes récitatifs d'homme ivre, prisonnier de l'oubli.

Depuis mon plus profond sommeil d'enfant, j'entendais déjà, sur le trottoir, crisser ton pas chancelant, dans le corridor de l'escalier, se fracasser tes poings contre les murs, dans l'entrée du salon, tousser ton âme que j'aspirerais bientôt dans mes poumons. Dans mon rêve, je levais alors une armée d'esclaves qui accouraient à ton service, soutenant ton bras, ta jambe, ta tête dans l'accomplissement de telle ou telle volonté, atténuant ainsi la tyrannie de ces bruits de guerre: chutes, tapage, vociférations de toutes sortes qui envahissaient la maison. D'autres fois, l'armée déchaînée, affamée de repos, se jetait sur toi et te lapidait sans pitié jusqu'à ce que le silence règne de nouveau sur ton champ de bataille. Mais infailliblement, quelles que soient les humeurs de mes troupes, ton cortège s'ébranlait et atteignait, une heure ou l'autre, le seuil de ma chambre. La porte sautait: dans ce périmètre, mon sommeil était mis en pièces.

Tu apparaissais dans le cadre étincelant de la porte, blotti dans ton trou noir, calciné jusqu'à l'os; tu n'avais plus besoin de lumière pour m'exciser de ma bonne nuit. Dans ma soudaine réinsertion terrestre, j'entendais pleurer ta voix à mon oreille, je l'entendais marteler obstinément certains mots, mots d'amour, mots d'injures, et amplifier, jusqu'à la menace de nous tous abandonner, ton propre rêve ténébreux où tu te voyais tourner en rond dans une ruelle sans fin, entre l'entrée et la sortie de ta vie, sans jamais atteindre la rue où t'envoler au loin, où te sauver enfin de toi-même. Moi, je me penchais par la fenêtre et me laissais tomber dans le vide. Ou je rentrais dans une nausée comme dans un mur crevassé et disparaissais de vue. Là j'ai grandi très vite, dans l'espoir de ramener au jour l'enfant perdu au fond de la ruelle; d'autres fois, pour lui asséner quelques coups de poing en gueulant que la rue commençait dans sa tête, par l'oubli de l'oubli; le plus souvent, désespérant de le retrouver et de me trouver à sa place, piégée dans son inenfantement.

Un jour, dans ces explorations interminables des ruelles de toute ville, tout voyage et tout rêve ayant parsemé ta vie, au milieu de ces expéditions intermittentes qui te délivraient de l'oubli et me délivraient de ta mémoire, après ces prospections posthumes de tes refuges réels et imaginaires, j'ai découvert ce carnet noir de tes douze ans dans lequel tu avais collé tes photos de famille: classes d'école, classes de collège, classes militaires. À la fin de la Grande Guerre, tu n'avais que ces familles à te remémorer: les dortoirs anonymes, les cantines aux repas froids, les cours de récréation à la grille cadenassée, les salles d'études aux fenêtres béantes avec nulle part où t'enfuir. Je cherchais frénétiquement tes yeux, au détour de chaque page craquelée, signée de ton écriture chancelante d'enfant. Je cherchais tes yeux dans le tumulte de centaines de regards exorbités, criant de peur au bout du tunnel où tous les enfants s'évanouissent un jour, et j'étais soudainement passée à travers tes yeux, avant même de m'en apercevoir, j'avais glissé dans deux minuscules perforations au milieu de la page et me retrouvais de l'autre côté, sans avoir croisé ton regard, même après avoir laissé ma peau derrière.

Alors je revenais sur mes pas, je retournais la page, à ton image, pour mes douze ans, quand tu fis le tour du pâté de maisons afin que je m'imprègne bien des traits du garçonnet aux cheveux blonds dont j'ignorais si j'étais amoureux ou amoureuse, mais à la vue duquel sur la rue Saint-André, j'avais crié: «Je l'ai manqué!» Après un brusque coup de volant, je te vis tourner à gauche sur Jarry, puis sur Boyer, enfin sur Mistral et redescendre lentement la rue que cet adolescent remontait à pied: à cet instant précis, j'avais brûlé d'amour pour toi de tout temps, à travers lui.

C'est pourquoi, je refais le même trajet d'écriture, je te croise au coin de cette rue une deuxième fois; tu te penches vers le feu, les mains en porte-voix, sur le point de me glisser un secret à l'oreille. Et mon cœur éclate! Car je vois l'abîme de tes yeux sans m'y abîmer, je vois la chose insondable qui me soude à toi alors même que tu n'es pas là. Je vois la croisée divergente de nos vues quand tu descends le cours du temps et que je le remonte pour te faire face et crier: «Je t'ai aimé!» bien que tu sois déjà passé.

Je ne rentre pas tout de suite dans ma chambre, malgré ma fatigue, cette insomnie qui m'accable depuis des semaines au point de dormir debout, en marchant ou en mangeant, le constatant au moment de m'éveiller dans une rue inconnue, sur un banc public, à l'odeur du café sous mon nez, au milieu d'une phrase insensée, sans savoir si je m'éveille au rêve ou au réel, si je dors ma vie ou ma mort. Alors pourquoi revenir dans cette chambre puisque je sais y être depuis le commencement, la lumière est allumée, mon ombre derrière les rideaux tirés ne cesse de s'agiter, de se retourner dans son livre comme dans son lit, cherchant en vain l'instinct, l'inconscience ou la désillusion qui la délivrerait de son poids de chair, de mensonges qu'on appelle parfois matière. Je ne suis pas rentrée, je suis restée debout devant toi afin que tu t'inquiètes encore un peu pour moi, que nous nous dépouillions de notre aveuglement en cette scrutation mutuelle, de notre querelle millénaire en une pause momentanée.

Je savais, sans l'avoir repérée derrière les rideaux de sa fenêtre, qu'elle t'attendait, alarmée de te voir traiter avec un vagabond à la casquette difforme, à la barbe naissante, au pantalon en accordéon. Mais elle, je l'avais tellement aimée qu'elle pouvait t'attendre encore un peu tandis que moi, je ne pouvais plus t'attendre. Tu resterais quelques minutes de plus au bout du fil, ce 5 mai 1967, et murmurerais de ta voix chevrotante: «C'est pas grave, tite-fille, vous viendrez demain», mais demain, t'étais plus là, parti hier sans que je t'aie dit une seule fois je t'aime et me rattrapant aujourd'hui, seize ans trop tard.

Maintenant que ce dernier chant d'amour s'est fait entendre, que la mort fermera ma paupière, que la terre recouvrira mon corps et que le silence effacera mon nom, vous deux que j'ai aimés, je crie pour vous! Je crie son nom qui coule nu entre ses seins nus, au souvenir qu'il existe ce navire où elle montera, délestée de toute illusion, échappant au sort des ports, des récifs, des rives, pour se dévêtir de sa condition humaine dans la pure transparence mélodique. Je crie ton nom qui coule nu entre tes cuisses nues, au souvenir qu'elle existe cette ruelle que tu graviras marche par marche, fauché de tout espoir, échappant au sort des gares, des carrefours, des collisions, pour te déposséder de ton humanité dans le reflet bleuté de l'air. Tout ce que je demande, c'est de crier jusqu'au bout de la langue que nous avons habitée un jour ensemble, afin de vous rappeler à moi. C'est de crier encore après le cri où nous nous sommes séparés, afin de me rappeler à moi-même. Car il est à préférer l'impudeur de sa plainte à l'amputation de sa voix, l'indécence de son vomi à la propreté de sa muselière.

Je délirais presque, brûlant de fièvre, les paupières si lourdes que le rêve s'apprêtait à sceller la tombe de mon corps. Les feuilles volantes claquaient au vent. Abandonnée sur ma table, aux caprices de la brise qui me berçait de ses odeurs alternées de gravier et de sel marin, un linceul immaculé me couvrait et me découvrait sur une plage, ou était-ce dans une venelle familière, pareil au déferlement incessant de vagues me laissant l'écume à la bouche. Une mixture de sable et cailloutis m'emplissait les yeux, le nez, les oreilles, la bouche. Je retournais à la terre, semblable à une épave dans les filets du rivage ou sur les grilles d'égout. Mes mots s'effaçaient, s'enfonçant dans cette épaisseur grise, visqueuse, d'un limon primitif, ou était-ce simplement une tablette magique. Me redressant parfois, je criais. Mes paupières se déchiraient. J'expectorais le rêve, je crachais cette matière granuleuse qui envahissait mes orifices. Et devant le silence de la chambre qui m'arrachait momentanément à ma surdité, où j'avais peine à m'agripper au crayon, au garde-fou d'un Titanic cambré au centre de la mer, je coulais déjà vers le centre de la terre; ma tête roulait sur mon bras, sur la table, sur le plancher, fruit mûr tombé de l'arbre tandis que le crayon figeait dans mon poing, malgré l'évanouissement du sujet.

C'est qu'il tenait à se souvenir de vous malgré moi, à rappeler vos voix dans ce voyage où le délire me déportait, coupée de ma main, pourtant sa totale prothèse. J'étais ce long bras artificiel dont les racines se déroulaient jusqu'au milieu de la chambre, sous le lit qui demeurait opiniâtrement vide, refusant que j'y prenne définitivement congé de mes os. Je restais branchée sur cette mine, semblable à quelque comateux relié à ses machines ombilicales près de son lit, lui injectant le venin d'une survie que l'on qualifierait, à la seconde où fondre en son abysse, d'immonde.

10

Pourtant, je continuais de t'entendre respirer. Dans cette apathie qui te semblait m'anesthésier, contre le mur, j'étais en fait lentement crucifiée dans tous mes orifices par le vide qui m'excavait pour mieux te recevoir. Voix intemporelle qui respire sous le ciel, dans l'air bleuté de l'éternel désir, tu retentissais plus fortement qu'aucune voix actuelle enclose dans son troupeau humain dont j'étais un insignifiant fragment à la surface de l'existence. Tu respirais à travers ces lambeaux d'un lointain passé, à l'écart des autres créatures fourmillant dans les bassins d'habitations, à contre-courant des paysages futurs se pourchassant depuis la bordure de ton ombre, et je fermais les yeux sur ces milliers d'années-lierre léchant les ruines des civilisations antérieures ou grimpant les stèles de ces ères nouvelles, pour ne cesser d'apercevoir ce mirage nocturne intérieur, jailli de la trituration d'un seul mot sous mes dents.

Alors que j'effleurais ta nuque de mes lèvres, dans notre Météor 56, tu me glissais à l'oreille le secret de cette barrière d'eau, à l'horizon, qui nous couperait la route. Fascinée, je suivais ton doigt jusqu'à cette nappe liquide qui vibrait à l'extrémité de la vue et menaçait de nous priver des grandes vacances d'été. Puis tu riais doucement, en chatouillant le nom de ce méchant loup dans mes boucles: «Mirage», disais-tu. Et Mirage dès lors fut ton nom d'absent. Mirage ta voix rare, riche, solitaire, ne ressemblant à rien qui ne fût audible c'est-à-dire plausible, fruit de l'invraisemblable écoute de mon inclination; mirage tes bras ballants et beaux et puissants, se couchant sur le volant à la rondeur de mon ventre; mirage ta respiration bruyante, profonde, inépuisable, plongeant dans l'échancrure de ma collerette, à quelques doigts de ton dos trempé de sueur.

Mirage, disais-tu. Tu me préparais à désenfouir la métaphore, au détour des *Îles de la nuit*, et opérer mes propres métaphores qui me sauveraient la vie. Parce que j'appris, cet été-là, que tu te tenais devant moi pareil à ce mirage. J'allais à toi au bout de mes bras, sûre d'étancher ma soif, mais tu reculais à mesure que j'avançais, tu t'estompais à mesure que j'affirmais mon pas, tu étais déjà disparu quand j'avais couru trop vite, quand je t'avais frôlé, juste avant, l'instant d'avant où tu t'étais esquivé. Je t'ai effleuré aux deux extrémités de la vie: lorsque je soulevais mon oreiller et découvrais ma dent de lait enfouie parmi un monticule de menue monnaie dans ton grand mouchoir blanc; lorsque tu rentras de ta dernière visite chez le médecin et m'offris en cadeau cette pomme s'ouvrant par le milieu sur son aiguisoir à crayons secret.

J'ai refermé la porte de mon bureau, ce midi-là, perdue dans ce mirage de toi alors qu'elle venait de m'abandonner dans un désert sans nom. Tu surgissais soudain derrière elle et je t'appelais, toi, à travers elle et je l'appelais, elle, à travers toi, comme si je m'étais retrouvée complètement démunie, à l'extérieur d'une maison aux persiennes closes, à la porte verrouillée, emplie du mystère de son abandon. Il y a quelqu'un? Il y a quelqu'un? Rien ne bouge. La question seule tournoie autour de la maison jusqu'à épuisement de toute conviction. Mais où sont partis ceux qui occupaient autrefois les lieux, le père et la mère assis sur le balcon et les deux enfants accroupis dans la cour? Où sont-ils partis, avec les draps flottant sur la corde à linge, les cahiers à colorier sur les marches d'escalier, le tricycle rouge renversé sur la pelouse, le bocal de fourmis près d'une pelle, d'un râteau et d'un seau d'enfant? Et comment ont-ils osé m'abandonner ici, incapable de rentrer dans ma maison, courant de fenêtre en fenêtre pour rattraper la vision du monde qu'on m'y avait esquissée? Rien ne transpire du drame qui n'a pas eu raison d'être sinon de clore le cercle parfait autour de mon nom et de dissiper les derniers fantômes de la langue dans le suaire de cet écrit.

Par l'une de ces fenêtres, défilaient donc la table de cuisine sous laquelle, B et C, nous jouions aux voleurs, dérobant la vision de son entrecuisse à la connaissance de notre mère; le tiroir aux ustensiles où j'accouplais couteaux et fourchettes, dans ma chaise haute, avec à mes genoux la famille récitant le chapelet de sept heures; les rideaux rouges entre lesquels le soleil se couchait et un raz-de-marée se levait, aux griffes dominant la cheminée de Miron, qui déferlait la nuit dans nos fonds de culottes; le four du poêle à gaz où maman frictionnait mes pieds gelés, l'hiver, en séchant mes larmes qui lui arrachaient la promesse de me laisser moins longtemps dehors, le lendemain.

Par une autre de ces fenêtres, défilaient le fauteuil de notre père où, B et C, nous nous calions devant la télévision: *Rin Tin Tin, Long John Silver, Le Comte de Monte-Cristo, Ivanhoé*, avec nos sandwichs au beurre de pinottes trempés dans du lait, jusqu'à l'arrivée de maman à six heures; le chesterfield de maman où, B et C, nous nous battions gaiement à huit heures, jusqu'aux remontrances de notre père aux premiers accords du *Survenant*. À la lueur d'une lampe à l'huile, je levai le voile sur toi: ou un fauteuil vide ou un interdit de vivre. Je me suis éloignée, n'osant plus te regarder, avec ce signe indistinct de la tête qui signifiait tout à la fois je vais guérir ou en mourir. Je suis remontée dans ma chambre avec cette musique du *Survenant* qui me coupait la langue. Je n'ai pas été à la fenêtre, j'ai jeté les dossiers à terre avec mes poings, projetant certains dans les airs, en déchirant d'autres avec les dents. Le carnage. Ainsi, j'ai déchiré mon journal en novembre pour ne rien laisser de moi, après moi, ni même la notice du plus banal rendez-vous. Et ce n'est pas le crayon que j'ai pris, je l'avais déjà en main dans cette chambre où je caressais ses courbes de la même manière que je traçais les contours de ma main sur un papier, enfant. Le crayon, je ne l'ai jamais à la main, il est enfoncé tel un clou dans ma paume, il me suit partout, mémoire de mains mortes ou gelées qui se cognent et s'éraflent sur les murs. J'ai pris la porte, le crayon fiché dans le poing, le cri planté dans les yeux.

Je suis descendue sur Beaubien écraser mon nez contre les vitrines de Lily Simon: Cacharel, Gianni Versace, Giorgio Armane. Partir, abandonner le livre, l'éternelle rumination, la sempiternelle répétition de ma réclusion dans un mirage, hantée par la voix maternelle, happée par le nom paternel, en quête d'un espace de liberté où une durée annulée puisse assumer sa nudité de femme. J'avalai une xième Ativan dans l'espoir de m'assoupir, de quitter le livre quelques heures ou quelques années, de calmer cette culpabilité lancinante au côté droit. Car, à nouveau, le cycle entier de ma procréation était en marche; je ne finissais pas de le parcourir avec les vivants et les morts, dans le désir et la répulsion, selon l'intimité de la conscience ou la duplicité de l'écriture. Mais ne parviendrais-je jamais au terme de ce chemin de ma renaissance, soustraite au ventre de ma mère et à l'esprit de mon père, à l'omniprésence de ma mère et à la semence de mon père, pour accéder à l'apesanteur de l'être qui a enfin parlé sa propre interdiction d'apparaître?

Alors du bout du monde où je m'étais réfugiée, au milieu des bottes, des souliers, des boîtes débordant de retailles, de boutons, de coupures de *Life* et de *Post*, au-dessous d'un ciel de linges multicolore, je suis réapparue. De ce climat torride, baigné d'odeurs animales, de parfums de fleurs séchées, du fumet de la cuisson, j'ai poussé la porte du souvenir et je suis retournée au récit. Ma bouffée d'orgueil, ma bouderie d'amoureuse enfermées dans la garde-robe, j'ai rappelé ma mère en lui demandant de tirer la langue, juste une fois, pour la goûter avec ma langue. J'ai rappelé mon père en ne demandant rien, juste pour le confirmer: j'existe et je parle encore. Je suis rentrée sur la pointe des pieds de peur de réveiller ma colère. Je me suis faufilée vivement entre la chaise et la table de travail de peur de perdre le fil de ma préhistoire. J'ai ressaisi entre mes doigts le crayon planté dans mon poing pour éviter de clouer au mur un être parlant. Puis j'ai pesé délibérément sur l'abcès.

L'on se dit que le silence on le porte sur les yeux, afin de se protéger de la lumière qui donne sur la chambre quand on sort de la garde-robe où l'on a de toutes ses forces tenté d'oublier. L'on parle toujours du dehors, à l'extérieur de la fenêtre d'où je me vois sortir de l'antichambre de cette chambre nuptiale où la Reine du foyer trônant dans la cuisine et le Survenant trônant dans le salon se déchaussent, se déshabillent, se désirent en me mettant chaque nuit à la porte. Dans leur lit je jouais, parlais, rêvais, mangeais, souffrais, dormais, mourais, en un mot vivais. Et dans leur lit j'écris, coupable de prendre la place de l'une pour l'autre qui est toi que je viens de quitter, de peur de te frapper ou de la perdre, de m'emporter ou d'être emportée.

Le temps de jeter un dernier coup d'œil par l'une de ces fenêtres, d'entrevoir la chambre de B aux lits jumeaux, sur les murs de laquelle voltigent canards, colombes, papillons, mordillent chiens et renards découpés par l'ombre de tes deux mains au-dessus de la lampe de chevet, et je m'enfuis par la route. Je peux rester des paragraphes dans la cuisine, quelques lignes au salon, une phrase ou deux dans votre chambre, pas un mot de plus cependant sur ce petit lit qui est le mien, où tu me couches et me quittes pour la rejoindre là, en 1941, où je n'étais pas, où je ne savais pas ce dont je n'ai jamais rien su parce que je ne l'ai jamais voulu. Je me tourne et retourne dans mon petit lit comme dans mon livre alors que la maison disparaît au bout du chemin que je dévale à vive allure, mais en vain. L'angoisse me talonne tel un chien enragé que je chasse en déplaçant quelques personnages et meubles dans ma maison de poupées, en jetant le chien à la rue, avant de me rasseoir, de voir qu'il va vers elle dans un été perpétuel. L'hiver est dans ma chambre; j'ai cinq sens qui ne font plus aucun Sens.

11

Je tape sur le vieux dactylo de mon père, photographié à son bureau, un livre dont il constituait déjà la charpente vivante, quand j'ai fermé la portière de l'auto sur son doigt et suivi ses gouttes de sang sur le trottoir, jusqu'à ma mémoire maintenant en train de le panser sur le clavier. Une douleur identique m'a pétrifiée à mon bureau et imprimée vive dans ce roman, devant le mémorial photographique, culinaire ou mélodique de ma mère, inscrit de sa main depuis cette nuit-là, depuis cette mémoire indéfectible de toi qu'elle se restituait sans fin de toi. Alors je m'agitais, repoussant le sommeil qui refermait la nuit sur vous, quand tu t'es éloigné résolument de moi, malgré mes malaises, mes peurs, ma moue désespérée d'enfant; tu t'es dirigé vers la fenêtre où elle t'appelait, et j'ai fui ces réminiscences, grimpant les escaliers à quatre pattes, soignant ma plaie avec laquelle je voyageais en compagnie d'un rêve cher.

Parfois, je sursautais dans mon petit lit, soulevais le monticule de feuilles griffonnées dans l'espoir de récupérer ton mouchoir blanc, ou au tintement de menue monnaie dans le creux d'une main je renonçais au crayon pour admirer la prise, ou un globe terrestre traversait soudainement ma table, tombait sur le sol, roulait sous le lit pour s'ouvrir et libérer une accumulation monstre de bran de scie envahissant la chambre, obturant mes orifices à nouveau. Chaque fois, je me surprenais couchée sur la Lettre inachevée, le crayon glissant à peine entre mes doigts, l'aiguisoir s'échappant tout juste de mes souvenirs. Je ressaisissais prestement l'instrument de torture, malgré ce martèlement douloureux d'un nom dans mes oreilles. Je recouvrais la pomme sous le lit, la vidais de ses résidus, aiguisais mon crayon pour aiguiser ma pensée tellement lâche qu'au moment de me rasseoir, je perdais pied, redégringolais l'escalier jusqu'à la dernière marche où, le souffle coupé, je frétillais à la façon d'un pantin disloqué.

Dans ma semi-conscience, j'entendis une porte s'ouvrir. Elle apparut dans sa robe bleue et se pencha sur moi: ses mains sous mes reins, elle tenta de me soulever. Je poussai un cri de mort et me recroquevillai en position fœtale où lentement le souffle me revint. J'étais seule, écroulée sur la première marche de l'escalier, avec un tel silence autour de moi que j'entendis une clef s'introduire dans une serrure. Sur ces entrefaites, bâilla à ma gauche une minuscule remise à l'entrée de laquelle mes mains se saisirent d'un parchemin ancien qu'elles déroulèrent en tremblant. Je lus clairement l'année, 1279, malgré le lieu d'inscription à moitié effacé qui me rappelait vaguement une tache sur une chemise Oxford que tu portais un dimanche. Le nom tracé en capitales, parcourant les quatre coins du document était lumineux: je discernais mal s'il s'agissait de Hebard, Hebbard ou Hebbert. Il n'y avait qu'un dessin microscopique au centre, daté de 1850, que j'imaginai être *le Baiser de Judas*, d'un artiste inconnu.

Là tout devint si clair au milieu du brouillard où j'étais plongée que je pus rentrer, te sachant presqu'à sa portée, dans ses bras, sans débouler dans l'escalier, transportée par l'unique vision d'un coffre-fort dont B possédait le secret, qu'il avait un jour révélé à C, la conduisant religieusement par la main dans la cave et dévoilant devant elle pièce par pièce les grilles de l'impossible. Sur l'autel de bois éventré, gisait le secret: un amas de briques, boîtes à chaussures, feuilles métalliques, chaînes et cadenas démontés, vestiges d'une civilisation disparue à l'aube d'une enfance révolue. Puis j'avais couru à l'étage, chiper la clef du coffre de cèdre dans la chambre de ma mère, et j'avais profané le lieu sacré:

des fragrances de cierges bénis, de camphre, de naphtaline et un reste d'aura intangible me prirent d'abord à la gorge, comme en entrant dans la classe, le premier jour d'école. Après je plongeai dans des couches et des couches de draps blancs, de taies d'oreillers, de nappes brodées, de châles de cachemire, de mouchoirs de soie. Je flattais dans un coin le manchon et le collet de renard de ma mère, tâtais plus loin mon voile de communiante enroulé de papier bleu; dans un compartiment caché, je caressais du bout des doigts des collerettes de batiste, des scapulaires, des photos d'amoureux dans des cadres usés, des flacons d'eau sainte, des petits jésus en plâtre, la cordelette ointe que ma douce mère portait parfois sur les hanches, enfin les pièces délicates de sa lingerie intime. Extasiée, je reniflais tout, émettant le vœu solennel que cette mémoire m'appartienne! et j'enjambai l'ultime marche de l'escalier.

J'entrai en trombe dans ma chambre. Je ne savais pas combien de temps s'était écoulé depuis que tu m'avais quittée: je somnolais à la table, les feuilles éparses autour de moi, mais maintenant j'étais décidée. Je ne laisserais rien derrière moi. J'engouffrai tout dans des sacs à déchets que j'empilai dans la ruelle. Je ramassai ma Lettre et l'enfouis entre les pages d'un livre. À l'instant, une brûlure incisa ma cuisse. Je plongeai les doigts dans la déchirure de mon pantalon: je saignais abondamment par suite de ma chute dans l'escalier et des gouttelettes de sang balayaient le plancher.

B me prit la main, m'amena au bord de mon lit, et soigna ma plaie. Je tentais de sortir de cet assoupissement de mes membres, de cet engouffrement dans un lit d'enfant qui lutte de tous ses maux contre le sommeil, afin d'éteindre la nuit à deux, tout à côté. Je me projetai en criant, hors de mon corps, en culotte courte, quelques années plus tard: je courais vers B sculptant une tête d'homme dans une souche. Je tournais sans fin autour de lui comme la première fois autour de l'idée d'un autre, irréductiblement Autre. Je vomis au pied d'un arbre. La maîtresse m'a saisie par le collet, traînée aux toilettes, puis au bureau du directeur d'où B m'a ramenée à la maison, de nouveau vers mes six ans qu'il alita dans notre petite chambre, une serviette d'eau froide sur mon front et sa main immobile dans la mienne.

Je me débattais dans ses yeux, lui signifiant sans mot dire, que j'essaierais encore, malgré nos jeux, nos amours, nos secrets, nos mains inséparables, de tuer l'autre enfance. Il me tendit le bol. Je pleurais, je m'agrippais à ses doigts, j'ouvrais lentement la bouche d'où la salive du monde s'écoulait; de toutes mes forces, je nous ai renvoyés à la veille de Noël de mes neuf ans, de ses treize ans. La porte s'ouvrit, l'on courut vers nos cadeaux sous le sapin illuminé: pour B une clarinette, pour moi une poupée, accompagnée d'une trousse de médecin. Elle et toi accoudés au foyer m'avez dit: «C'était le rêve d'Irma, la première femme médecin; Justine et Irma ont fondé Sainte-Justine au début du siècle. Irma désirait soigner l'enfant qu'elle n'avait jamais eu, mais s'est trouvée à soigner l'enfant en elle, abandonnée depuis longtemps.» J'ai regardé B. L'issue! L'enfant à soigner de l'oubli à quoi le vouer. Et ce Noël-là, j'ai tout oublié. Je disais: la chambre de B, la chambre de ma mère, il ne restait que nos deux places à interchanger ou à effacer. J'ai biffé ton nom, biffé mes «monstruations», biffé ce plancher que j'ai lavé des détritus de tes hémorragies, un soir où j'étais seule avec ta mort, biffé ton dernier cri d'enfant dans ce petit lit blanc du Royal Vic où je suis arrivée trop tard pour m'entendre.

C'est moi à ma table qui ai crié, me voyant entrer en trombe dans la chambre, l'air hagard, les vêtements déchirés, comme si j'avais heurté de plein fouet ce nom que je biffais, qui était le mien, et que je me voyais débouler sans fin dans cette chambre ancienne d'où j'écrivais, sans pouvoir m'échapper. Je n'avais plus un moment à perdre. Je me secouai pour contrer l'effet d'engourdissement de l'Ativan, glissai ma Lettre inachevée entre *la Lettre* et le premier état de *la Lettre* de Cassatt, me dépliai prudemment jusqu'au miroir cloué sur la porte, à côté de la table. J'étais dans un état lamentable, ne m'étant pas lavée depuis des semaines, n'ayant changé ni mes vêtements ni les pansements à ma plaie depuis des jours. Je me suis rapprochée du miroir, j'ai relevé mon toupet et ton visage apparut sous mes traits. J'étais *la Mélancolie* de Degas, se réveillant sur un divan un siècle plus tard: je parlerais depuis bientôt dix ans de ces vingt-cinq ans d'absence et d'indicible.

J'ai plongé dans la baignoire. Je t'entendais barboter dans une autre baignoire et venir à moi, dégoulinant, au pied de mon lit d'enfant. Je te voyais nager à la plage Martin, m'appeler dans tes bras où j'accourais du haut de mes six ans, les mains sur mes seins inexistants. Était-ce l'avertissement d'une fin possible à cette enfance divine et infernale? Un vide étrange s'élargissait dans la chambre, le sens commun désertant l'exécution du moindre geste, par exemple ma main sur le savon ou la serviette sur mon visage. Dans cet abîme se creusant entre mon présent et cette autre chronologie terrestre, ma volonté antérieure de connaissance se transformait graduellement en un désir de poésie. Si le chemin de sa renaissance s'achevait sur cette bifurcation entre connaissance et poésie, entre le savoir et la fable? Un hymne s'élevait au creux de mes oreilles, une voix libre, que ne traquerait plus sa conscience, retentissait dans une avalanche de rires. Je m'immergeai! Tu étais cet intouchable longeant la mer, en plein hiver 1808, vers qui je courais avant que Schumann et Hölderlin ne se noient au large, avant que Karl Gustav Carus dans le cimetière d'Oybin n'y termine ses neuf lettres sur le paysage insondable de sa conception.

Aspergée d'Old Spice après rasage, j'endossai la seule aube qui me restait: le complet gris que tu portais, émacié, au mariage de la fille aînée de Berthe; la cravate que tu avais nouée allègrement, au baptême de ton filleul à Sainte-Justine; le trench-coat replié sur le dossier, les soirs sur Pie IX quand nous attendions sans bouger le pas précipité de ma mère qui embaumerait l'auto d'une odeur capiteuse de chloroforme; enfin le chapeau feutre que tu arborais sur ces photos anciennes, étranger dont l'esprit n'avait encore effleuré la possibilité matérielle d'une telle voix mienne, imperfectiblement mienne.

12

Je me suis précipitée dans la nuit, sur la rivière sans retour où Mitchum et Monroe, accouplés à ce chant d'ivresse au creux de mon oreille, assouviraient le feu de ma langue les ensevelissant dans la fente de toutes connaissances. Je n'avais rien laissé derrière sur quoi pleurer, sinon ma peur de vivre, sinon cette dernière possibilité que j'avais de rester prisonnière.

Leur lumière scintillait à l'étage, à l'instar de l'étoile des Mages dans un conte de fées. Et je m'éloignais d'elle, par les ruelles les plus sombres, dans ce lacis inextricable de boyaux où surgissait, à un tournant, la poupe d'un navire en fuite ou un cri d'enfant crucifié sur les barbelés d'une cour intérieure. Loin de cet astre, je dérivais, dans les ballottements d'une barque sur les vagues déchaînées, ou était-ce simplement l'ébranlement de ma carcasse en quête d'un corps ou d'un désir personnifié? Ainsi je dérivais, trimballé entre ondes et venelles, entre ce dédale intestinal et le flux et reflux sempiternel des eaux, car du col escarpé de l'Origine, je risquais de me détourner, bifurquant énergiquement au travers du royaume des morts.

Plus rien n'importait désormais, du sommeil ou de la veille, du rêve diurne ou nocturne qui m'emportait, de l'histoire collective ou de mon histoire personnelle, de la mémoire de l'espèce dans l'individu ou de mon unicité dans la trame universelle qui me déportait. Je suivais aveuglément un trajet qui n'était que le mien, qui aurait pu être tout à fait autre ou qui aurait pu ne jamais exister. Je le savais et peu m'importait que j'y sois quand j'aurais pu, pour un rien, ne jamais y être, ou que je n'y sois pas quand j'aurais pu, pour un rien, y avoir toujours été, puisque j'y étais dans ce temps insituable, traversé de tous temps, de tous âges connus ou disparus, investi de toutes mutités et de toutes épopées. J'étais sur ce chemin semblable à aucun autre, tracé unique qu'une multitude de voies traversaient, et où ma voix m'exportait dans le présent démultiplié des voix passées et à venir que je connaissais et ne connaîtrais jamais.

Je prenais ma route, à l'intersection des routes de toutes villes, tous mondes, tous songes, seule route pour chacun sur le point de partir et se redire qu'il n'y avait pas d'autre route possible car il n'y en a jamais eu aucune, ni visible ni invisible. L'on fut seulement pris en cours de route d'un récit, du récit d'une rencontre, de la rencontre de deux inconnus, de l'Inconnu dont on sera devenu le rebut et le voyant: le rébus vivant d'érudition et d'ignorance, de compréhension et de consternation, de savoir et d'évanouissement, de remémoration et d'amnésie; le conteur inconscient, transi de pleins et de blancs, se butant au noyau de sa vie, sa folie fondatrice.

J'étais presque arrivée, sûre de cette ultime solution puisqu'il ne s'en trouvait aucune à la maladie de vivre, mais ulcérée, au bord de la syncope. Je foulais à présent une plage, celle de Dunkerque ou de Normandie, je ne sais plus. J'ignorais en fait s'il s'agissait d'un embarquement ou d'un débarquement, la mort cependant rôdait partout. Je devais porter en terre un seigneur et sa dame, et sculpter auparavant dans ma langue de pierre ces grands gisants couchés côte à côte dans le giron desquels j'avais été façonnée. J'aurais voulu mouler dans des mots leur mémoire princière qui venait de périr et me pétrir du même coup. Car j'étais pétrifiée dans un petit lit et, pour l'oublier, me croyais endormie. Et pour oublier l'oubli, me rêvais en train d'écrire ceci quand j'attendais, en fait, debout dans une gare, de palper cette vision de lumière et de lait confondus qui m'avait médusée, où mes cris avaient couvé.

Le troupeau humain piétinait devant les grands portails, formant d'interminables cordons de lances verticales se pressant au combat, refoulés chaque fois par les contrôleurs de tickets aux entrées: «Arrière! Arrière!», à coups de sifflets pareils à des coups de fouet que les gueules embrasées de quelques dragons derrière les grilles recouvraient par moments, exacerbant la fureur du troupeau à l'assaut imminent des wagons de chemin de fer à la veille des Fêtes. Un feu de joie encerclait l'antre des reptiles: c'était Montréal qui brûlait tout autour pour chaque vieillard redevenu enfant, en ce tumulte du présent annulant pour quelques jours l'éternité du futur, en ces cris exaltés effaçant les cris d'agonie de toute une vie. Moi, pas plus haute que trois pommes, je m'agrippais aux malles de votre suite princière et je vieillissais d'un an à chaque seconde. Je m'abstrayais du troupeau et de la famille royale, dans l'allée solitaire entre deux petits lits jumeaux, où je contemplais une ballerine faisant des pointes sur le mur. Mon seul coup d'œil sur cette chambre fusait de ces coulisses refermées sur deux cadres miniatures: une ballerine en retrait y contemplait sa compagne pivotant sur ses pointes.

Ainsi, dessous les draps du lit, je lorgnais en coulisse la danseuse étoile à son miroir, agrafant son Exquisite de satin blanc et son porte-jarretelles en dentelle, déroulant ses bas nylon gris perle, glissant son slip sur l'astre noir de ma mélancolie. Puis elle chaussait ses talons aiguilles, enfilait son jupon collant, affinait sa taille dans l'étreinte de sa robe princesse. Elle m'embrassait ensuite à la sauvette, happée par les appels de la salle. J'attendais longtemps après que l'étoile était entrée en scène, que les applaudissements s'étaient tus, pour quitter les coulisses, me parer de ses plus beaux atours et me précipiter à la gare où démarrait le train Lionel, aux rails fixés sur une planche de bois que l'on rangeait sous votre lit. Je conduisais ces soirs-là à toute vapeur, à travers une campagne déserte, à l'exception de quelques sapins enneigés, d'un bœuf, d'un mouton et d'un cochon égarés près d'une passerelle, et d'un tunnel vert moucheté de cheveux d'ange. Parfois j'enfourchais mon camion bleu tout cabossé; à bride abattue je rattrapais le chauffeur de la locomotive, aux bras puissants enduits de suie.

Ainsi dans la salle des pas perdus de la gare Windsor, aux alentours des Fêtes, à coups de cravache sur le plancher parmi ce fol troupeau en équilibre sur son appétit et sa famine, je pestais contre la levée prématurée du rideau de scène: Trois-Rivières où je vous fixerais d'un regard hébété, sur le point de danser, rire, dormir ensemble, et pour échapper à l'enfer, préméditais d'incendier le théâtre, prétextant que cette vision n'était ni possible ni réelle, mais fiction. Et sans crier gare, dans mon petit lit, je pris feu. La foudre éclata: tu entras en trombe dans ma chambre, m'emportas dans tes bras jusqu'au bout du corridor où tu me déposas sur le trône. Vidée de ma substance, délivrée de tous les outrages par cet étroit entonnoir auquel mon esprit se réduisait, j'abordais maintenant cet asile de repos où j'imposerais ma volonté de fer sans volonté manifeste. La nuit commençait. J'échouerais cette fois encore à empêcher votre voyage, mais mon voyage s'était arrêté. Je me consumerais vingt ans sur place, même changeant de ville, de pays, de continent. Je m'enracinerais dans la douleur, seule esclave volontaire d'une Raison sans État ni frontières, aux confins d'une terre oubliée qu'aucune ruelle n'avait dégorgée de ses peurs viscérales d'enfant, et d'une mer oubliée qu'aucun navire n'avait fait refluer sur les digues d'une parole sans mort.

Alors je me précipitais de la plage aux toilettes publiques, émergeant du Ventre toujours plus blanche, plus vide, plus esclave de la Raison qui ne m'appartenait pas, que de mes boyaux que je tenais entre les mains se vidangeant de l'être que j'étais, sur le point de naître. Malgré cette négation qui brassait la puissante nostalgie d'enfance dans mon ventre et me vannait, n'avais-je pas bifurqué vers la poésie, affranchie donc d'un sens, d'un salut, d'un rassasiement, livrée sans espoir à l'enchevêtrement du hasard et du désir? Mais la fable qui s'enflait de la nuit crevée à chaque fenêtre enflammée de la cité, du troupeau assassiné en chaque voix s'écoulant dans son chant, ne m'apaisait pas suffisamment. Je tremblais au point de m'agripper au mur dans la certitude que le tremblement de terre m'engloutirait sous les décombres. La vision subreptice d'amoureux sur Craig me jeta dans d'étranges convulsions, réelles ou imaginaires, je ne me souviens guère. Hélas! Ce n'était pas eux. Je m'enlisais davantage dans ma rêverie ou ma stratégie, fixant la pointe de mes souliers, l'une recouverte de sable et l'autre de neige. Je fredonnais *Casse-Noisette* en ce moment intermédiaire d'existence, entre le crépuscule et l'aube, entre le pullulement des êtres et l'isolement de n'être pas encore, entre le seuil et la porte qui s'ouvre ou ne s'ouvrira pas: je discernais dans le sombre les flocons de neige faisant des pointes sur la plage, les enfants vaincus au lieu des soldats victorieux, *la Marche de Noël* où C s'égarait dans la froidure de l'hiver, à défaut de refaire la connaissance embrasée de ses lèvres. *La Marche funèbre* réglait le pas de la troupe, de tous les Groupes, le même roulis lugubre d'un train en route vers Trois dont une seule peau morte se détachera. Je sursautai!

Affaissée dans la boue, la tête baignant dans les ordures, mes yeux persistaient à les filmer en contre-plongée, dans un plan américain: Grant étreignant Ingrid Bergman et l'arrachant à son père, Holden étreignant Kim Novak et l'arrachant à sa mère, Lancaster étreignant Deborah Kerr et l'arrachant à son mari, Brando étreignant une Mexicaine et l'arrachant à son pays, aux convenances, à sa langue. *Il Bacio* de Hayez. *Der Kuss* de Klimt. *Le Baiser* de Picasso. *Dante's Dream* de Rossetti. *Paolo et Francesca* de Doré. *Le Couple nuptial* de Rembrandt. *Adam et Ève* de Valadon. Tous les nus de Dürer, Cranach, Blake, Rodin, Moore, Renoir dans *le Débarquement des amoureux dans l'île enchantée* de Haft Aurang de Djami. Isis à genoux devant Osiris son époux. Alors *le Cri* de Munch, mais un cri pour effacer *la Maternité* de Tanning ou museler *la Création* de Haydn. Un cri au milieu du délire onirique ou du labyrinthe réflexif, par lequel appeler un nom que l'on nie encore, sans jamais l'avoir ignoré, et qui reflue dans la bouche avec ce goût de le vomir ou de le sucer comme un bonbon.

Le ballet enchanté avait repris autour du Couple. Je me jetais au fond d'une barque solaire, la lettre des morts à la main, pour traverser le nulle part de ma préexistence, ces sillons multiples où neigeaient plein de hiéroglyphes dans leur pure illisibilité. Plus rien n'importait de ce désordre des idées ou des images, de ma pensée ou de l'impensé qui m'exilaient vers cette confusion: ma vue perdue dans des visions antérieures ou ultérieures, dans la perspective ou l'empâtement de tableaux intemporels, dans les zoom-in ou travelling arrière de scènes immatérielles. Je flottais dans ce mélange de sons, de genres, de noms, de dates, de représentations, de langues, d'âmes, d'odeurs, de vérités et de mensonges, de confessions et de fabulations qui m'expatriaient de mon nom quand j'étais en proie à me nommer, qui me bannissaient d'un lieu quand j'allais avoir lieu, qui m'expulsaient de la parole au moment de me parler. Peu m'importait dans cette perdition que ma trace soit proscrite, pourvu que je me filigrane dans quelque marge aveugle, mais repérable sur une feuille, que je me lise exinscrite même désertée.

13

Ils s'embrassaient.

Sur ma langue brûlait le livre ouvert sur son dernier regard vers la terre: *Je vous désire, et il m'est de plus en plus dur d'attendre que nous soyons seuls, que nous ne fassions plus qu'un.* Allongée sous ses draps, je dévorais les pages qu'elles avait couchées sur le ventre, sans savoir que je poursuivrais sa lecture jusqu'à la fin et recommencerais l'histoire depuis le début, comme autrefois au cinéma, aspirant par mes yeux sa vision, sa voix, son glissement progressif dans le vide au milieu de notre langue, balayée ici au centre d'un banal alinéa. Je la retenais sur mes lèvres par ces lignes qu'elle n'avait pas fini de lire et que j'étirais en mâchonnant à haute voix *Aurore et Sébastien*, chez Harlequin. Tandis que se consumait le texte de sa vie dans ma bouche en feu, ils demeuraient figés l'un contre l'autre sous mes yeux, semblables à ces monuments de glace des chasseurs de phoque prisonniers d'une banquise. Ou parfois, ils s'encastraient si profondément l'un dans l'autre, au milieu d'une enceinte léchée par les flammes, qu'un hurlement dans la nuit me glaçait le cœur. Mais toujours un chant modulait leur étreinte:

> *Un amour comme le nôtre*
> *Il n'en existe pas deux*
> *Ce n'est pas celui des autres*
> *C'est quelque chose de mieux.*

Le soleil d'été incendiait ma gorge, flambait mes cheveux, au plein cœur de l'hiver où je me blottissais derrière un monticule de draps blancs grossissant au fur et à mesure qu'elle appuyait sur la pédale de sa machine à coudre et que l'ourlet filait entre ses doigts. Des étés entiers passés dans des flocons de coton, d'ouate, de fil de soie et de poussière, assise à côté de ma mère, dans ce château de neige assourdissant à la shop de chez Laframboise. Je lisais mes comics sur l'heure du travail, cherchais du coke aux quinze minutes de break, fermais les machines à l'heure pile où je ressortais pendue à son bras, heureuse, cette fois encore, que nous ne soyons pas séparées. Pourtant l'éternité de la séparation avait sonné. Je le savais, bien qu'historiquement elle nous parvînt quelque quarante ans plus tard à l'oreille. Moi, entendant le silence sonner au bout du fil, pendant des jours, toi, entendant le vide, une fraction de seconde.

Et la porte s'est ouverte sur le Royaume des cieux enseveli sous un rêve d'hiver: toi, dans ta silhouette espiègle sortie d'un conte de Noël, je t'ai étreinte sous la brise de ce pays natal qu'est la mort sans identité. Couchée à tes côtés, je te regardai droit dans tes yeux clos et te parlai bouche à bouche entrouverte, la lèvre inférieure tranchée par cette tache rouge courant sous ton profil endormi sur l'oreiller, jusqu'à l'aile de ton nez légèrement filamenteuse où s'était coincée ta souveraine inhalation. Tu avais été la seule revenante du réel grâce à qui, par-delà l'adieu et l'impossible retour, par-delà la solitude et l'impossible communion, j'avais quitté les seuils, les passages, les rivages, pour entrer dans l'amour fou, dépossédé, déraciné, de la poésie. Tu dormais en position fœtale et je t'enroulai sur mon ventre: il n'y aura d'autre connaissance dans la pénombre qui se nomme vie que celle de la séparation, pas d'autre gestation que celle de sa disparition, à travers le dédale des fêtes, du désir, des miracles et du cri nous faisant franchir le dernier écho de cette perte primitive dans le balancement rythmique, le perpétuel battement de sa vie privée outrageusement impersonnelle.

Je te parlais en chantant, je chantonnais en écoutant le

silence. Je caressais ton visage, longtemps l'unique infinité déployée sur mon front: il n'y aura eu d'autre matérialité palpable pour l'évanescence d'un souffle qu'à travers la saisie future d'un seul corps absent. Et je soulevai par deux fois les draps pour embrasser du regard le corps de ma bien-aimée, mais l'image s'est dissoute sur la chose, la main à l'alliance dépliée sur le bord du lit, mauve, simplement mauve. Je suis restée avec toi par tous mes sens, plus encore par l'insensé que nous soyons rivés à l'Image quand nous appartenons à l'Indescriptible. Je reposais toute en cendres dans ton aura de froidure, avec de l'autre côté de toi ce territoire nu, creusé à la dimension d'un dormeur. Comme si, tapissée dans ton cocon, tu raclais inconsciemment nos mémoires de cette ombre blanchie par les ans qui ne t'avait jamais quittée depuis quinze ans, pendant ce siècle et à l'origine du monde, à la mise bas du monde pour moi.

La proue d'un navire traversa la fenêtre: je n'ai pas crié, ni fui, ni fermé mes poings sur les yeux. J'ai vu la nuit de la ruelle montée sur le pont promenade du paquebot, ses recoins illuminés par les feux de bâbord et de tribord, par les lueurs des candélabres satinant la salle de bal. L'image du navire devenait celle de ma propre obscurité devant mon corps reposant sur cette couche vide de ton immensité; devant les ruelles d'une ville s'immergeant dans les profondeurs des eaux afin de rejoindre le paysage inoubliable; devant ce Couple inatteignable que vous incarniez tout à coup au point que mon écriture s'étendant à perte de vue ne vous effleurerait plus. Il était donc possible que tu perdes une nuit la parole, que je la reprenne au matin, en écoutant l'évidement, ce manque d'être, la cassure dans la chaîne, et que je persiste, semblable à ces objets intacts, malgré la soudaine altération des choses: les flamants verts à la tête du lit près des livres de B et C, au mur la peinture d'un lac ceint de chalets et sillonné d'une chaloupe de pêcheurs, une gerbe de fleurs des champs sur la porte, le panier de couture sous la fenêtre, quelques épingles piquées dans l'ourlet du rideau, dans un tiroir le paquet enrubanné des lettres d'outre-mer, ma lettre d'amour, celle de ton fils à ton époux à l'intérieur d'une ancienne carte d'anniversaire, un calepin noir avec les dates de décès de tes proches inscrites sur une page et retranscrit précieusement au verso, *le Portrait de ma mère* de B, rédigé à ses dix ans.

B s'approchait et s'éloignait tel un esquif au milieu des remous, tentant de s'amarrer à une bouée et repoussé au large, par la force des vents que j'entendais hurler, couchée dans l'œil du cyclone. Quand il ne resta plus que nous deux dans le désert après la tempête, à siroter nos dernières réminiscences de lait chaud au fond de nos verres d'eau, appuyés contre la table, les yeux vitreux ou en état d'hibernation, il me semblait respirer lourdement, dans les méandres d'une draperie colossale qui choît au fond du vide, dans cette chute monumentale consécutive à l'éclair de conscience qui nous a foudroyée, expurgée de l'existence et disposée en un pur fait matériel, dégrossi d'âme et de corps. C'était une nuit de midi où la pensée nous use telle une substance abrasive, où la parole nous consume tel un acide corrosif, où l'on est décapée jusqu'à l'os, au centre d'une cuisine blanche, et excisée de sa lévitation. Où l'on est évincée de sa voix, où la voix n'est qu'un interminable renvoi conjurant les digues d'un moi. L'étoile d'or reposait dans sa boîte à la place exacte où tu avais remisé ton cadeau, le midi, à Noël. Je passai ton alliance au doigt de B, ta bague de fiançailles à mon annulaire.

Dans les semaines qui suivirent, je ne quittai plus la montre, les bagues, les anneaux que tu portais à l'heure de ta mort. Jusqu'à ce que je rêve d'un homme que je frappais au visage pour le séparer de toi. Tu m'étreignis alors en m'annonçant qu'un enfant devait naître, et je t'embrassai de joie. Au réveil, je rassemblai péniblement mes forces, mes pensées éparses sur le bord de mon lit, un temps indéfini qui m'apparut l'infini effritement de mon être déjouant sans cesse la nécessité d'une renaissance future. Je fouillai cette mémoire archaïque, piégée dans les rets de mon sommeil et les vestiges de cet impensé primitif: le Couple à l'image de la Vierge à l'Enfant. Mon aveuglement était si clair dans ce rêve, jetait une lumière si crue sur les ténèbres de la «trahison» qu'il avait pour fonction de camoufler, que je me retrouvais plongée dans les ténèbres de la lucidité, ébranlée par l'intensité de dénégation de cette scène originaire où je me devais d'y être, en précédant mon père dans tes bras.

Qui étais-je? Débordant ainsi le champ du corporel, les limites de la symbolique, l'âge des empires fondés par la toute-puissance du désir, et pourtant emprisonnée dans la pesanteur d'une conscience mortifiée, non mutilée, enclose dans des surfaces d'épiderme modelant la forme par laquelle j'adorais ou je tuais, enchaînée aux tâches de respirer, marcher, manger, sommeiller durant toute une vie et de transformer l'invivable en ces premiers tâtonnements de la question du sens fragile comme le premier voilier du souffle qui coule dans l'océan de la langue. Je me débattais dans cette obscurité lumineuse où le jour était plus sombre que la nuit car il avait recouvert jusqu'à ce rêve, la netteté de vos étreintes nocturnes. Soudainement excédée par cette croissance, depuis l'aube de ma vie, indiscernable de mon propre avortement dans ton ventre, j'engageai solennellement l'étrange sacre de mon nom, en une fraction de seconde, aboutissement de l'enfance millénaire de l'humanité: je retirai tes anneaux de mes lobes d'oreilles, tes bagues de mes doigts, ta montre de mon poignet et les déposai dans le coffret de mon père. Je quittai la chambre où vous vous enlaciez loin de la source du temps, loin de l'embouchure de la loi, dans la passe perdue à la cause et à l'effet, au commencement et à la fin, de toute l'œuvre d'art en laquelle je vous transmuais, accroupie à vos pieds telle une magicienne concoctant le tarissement de lait en un récit.

Je vous rejouais dans un cahier de poupées à découper, à trois volets, qui déroulait sa scène derrière des couples de danseurs exécutant *Casse-Noisette* de Tchaïkovski. Je couchais mâle et femelle ventre sur ventre, nouais leurs bras de carton, et les jetais aux pieds du Couple primordial traversant les métamorphoses de la mère à l'enfant, de la sœur au frère, de la femme à l'époux. C'était Ève à l'Adam surgi de son mamelon tranché, auxquels l'on avait sacrifié animaux, humains, fragments de langue ou de pensée, et l'entièreté de la différence pour nier l'éblouissement de l'entre-deux, ces écailles qui nous tombent des yeux parce que «ça» nous crève les yeux. Les vagues emportaient leurs corps de papier, au milieu des sapins enneigés, des carrosses d'or, des ballerines et des tutus multicolores, des rideaux de scène que l'écume berçait, puis blanchissait comme le vallonnement de feuilles sur une table quand plus un mot ne reste à y jeter pour effacer le vide d'un départ.

Qu'était la poésie pour supporter l'inconnaissance d'une telle absence, l'adieu seul qui persiste dans la trame d'une certaine identité, le vide se convertissant en signes entre deux mondes dont l'invisible s'avère non l'abolition, mais la condition même du visible? Que serait-elle sans suppléer au défaut d'Origine, sans corriger l'oppressante sollicitation d'une Fin qui fuit, sinon un simple souhait d'harmonie où les mots parfois ne suffiraient plus?

14

Je demeurais assise face à la mer, votre étreinte amoureuse derrière, car l'on a beau se détourner obstinément de toute fin, ça nous tourne encore le dos depuis le commencement. L'on fuit «avec» ces lapins chauds derrière, sous les draps, «avec» cette maison vide derrière, sur la route. L'on vit «dans» cette petite chambre dont on s'enfuit par-devant quand on s'éveille dans son petit lit avec une diarrhée verbale qui n'a d'autre motif que de dissimuler le silence de votre départ, vers la grande chambre, vers le grand lit au-dessous duquel je m'accroupis au coin de la gare, attendant le train afin de vous quitter sans regret. Dans cette petite chambre l'on se lève, l'on grandit, l'on traverse la marche funèbre de l'histoire, mais en sens inverse, jusqu'à sa préhistoire, assise durant des heures à son miroir pour se panser d'y être seule, orpheline depuis l'origine, et de plus loin encore, là même où elle se perd parce qu'elle n'existe pas.

Là, on vieillit en ne changeant pratiquement jamais de place, ni de vêtements, ni d'histoire sur l'histoire, même quand on se glisse à sa fenêtre pour tenter d'apercevoir la scène derrière le store baissé de la fenêtre d'en face et que l'on se demande si les occupants sont morts ou s'ils nous protègent simplement la vue du soleil flamboyant au-dessus de leurs draps. L'on se résigne à écrire, d'abord figée devant une feuille blanche, dans cette reconnaissance du labyrinthe troué de meurtrières dans lequel l'on vit en voyant aveugle, où chaque ligne nous ouvre une fenêtre sur une autre fenêtre qui nous referme la phrase, et la parole entière fuit devant quand on croyait la mener au bout d'une ficelle. Et les mots nous happent, nous martèlent les oreilles, nous escouent le corps parce qu'à chaque page, nous refaisons le tour de la chambre, le sac à déchets ouvert dans une main afin d'y glisser de l'autre les jouets de son enfance, le trop-plein d'objets décoratifs comme autant de fétiches étouffants, et ces objets intimes de ton appartenance qui me battaient les tempes, le temps entier s'y étant abîmé avec moi incapable de franchir le pas, saisie par exemple à la vue de tes pantoufles sur ta descente de lit, qui arrêtaient ma vie sur le seuil de ce pas que tu ne ferais plus. Je les ai engouffrées, les yeux fermés, dans cette poche foisonnante de mes biens les plus précieux: il me fallait perdre autant que toi pour oser tout sacrifier de tes reliques. J'ai dissimulé les offrandes au pied d'un arbre, sous la pile de vidanges voisine, guetté jusqu'au soir, derrière les rideaux, le pas précipité des éboueurs qui voueraient au rien le reste sacré de mes attaches. Vidée et vautrée dans cet évanouissement à ma table de travail, une pensée ordurière, peut-être l'indécence même qu'un désir persiste, m'enjoignit à ces débris d'écriture: aucune de nos possessions les plus chères ne subsisterait en dehors de ma mémoire et de mes livres.

Et là, au milieu d'un paragraphe dérobé à la plus vigilante autocensure, l'on déterre le creuset de son vocabulaire, l'on exhume le désir échoué sur sa butée: contourner le seul nom qui vous a fait écrire pour le biffer, ce nom étranger qui vous fait parler pour le raturer. Alors votre écriture change. Vous dérivez dans un livre imprévisible, sans autre finalité que de vous faire déparler cet imparlable d'un nom que vous n'avez jamais daigné vous représenter bien qu'il soit celui que vous annonciez chaque fois que vous vous présentez, ou auquel vous répondiez chaque fois qu'il est prononcé. Vous errez dans un livre qui vous reconduit à ce nom que vous n'avez jamais autographié même au milieu du délire ou de cette obscénité de vous déshabiller à la moindre description.

Puis sans prendre garde, vous déferlez vers ces *Babar,*

Tintin, Alix, Comtesse de Ségur, Berthe Bernage, *Sylvie* que vous avez dévorés au bout du voyage périlleux vers Shamrock, guidée par un grand frère qui s'attarde aux vitrines de jouets, devant ces étalages de bateaux, d'avions, de voitures en boîtes, à assembler telles les pièces détachées de sa vie après chaque mise en échec. Il vous signale au passage le sous-marin nucléaire de ses rêves par un petit soupir retenu, celui-là même qu'il montera plus tard dans la cuisine, à l'émerveillement de sa mère qui récompensera sa dextérité par de petits baisers contenus. Il vous serre la main au feu suivant, vous lui réempoignez le pouce de l'autre côté de la rue. Il vous installe devant les rayons de la bibliothèque et vous ouvre les grands albums illustrés. Vous vous assoyez à treize ans devant ses étagères et vous refermez ses livres de belles-lettres, *Une Nouvelle Histoire de Mouchette, la Saison des pluies, le Tombeau des rois* dont vous ne vous remettrez pas. Votre livre vous déporte ainsi vers ces ouvrages de jeunesse, ces reproductions de peintures, ces affiches de cinéma, tout ce coussin d'air qui amortit la chute dans le vide, avec pour seule image les enfants égarés de Soutine sur un chemin désert qui ne se lâchent pas les doigts.

Nothing. Nobody.

Et l'on se retrouve sur la plage à éventrer son manuscrit à grands cris parce que l'on peut enfin écrire, mais du fait inacceptable d'être orpheline, seule devant le flux et reflux des siècles d'écritures, écoutant le mugissement perpétuel de la pensée, contemplant la houle éternelle des visions, émettant de cette mêlée le chant personnel de sa mémoire des mondes et de l'exil du monde, mémoire des paysages ancestraux et de l'estompage graduel des visages.

There's nothing and nobody left behind.

Qu'un livre qui se fait et se défait dans les fourrés impénétrables de sa quête et de son chaos, qui accompagne sa propre mort entre l'invention de l'Homme et de Dieu, qui recrée le sentiment factice mais impérieux de sa liberté, qui résout ce que seule la poésie superflue soulève tel un rideau de poussière sur la route sans en étayer la preuve ni en établir la cause: le non-sens et la nécessité de quelque foi intérieure que ce soit. Qu'un livre que l'on dédie à son frère malgré l'angoisse de le déposséder de sa propre histoire, de ne pas laisser suffisamment de place à son silence ou à son cri dans cette petite chambre, cette maison, ce périple dans la langue et entre deux corps que le hasard nous fit amorcer ensemble.

Ainsi le train que j'attendais, n'était-il pas un cadeau de mon père à mon frère qui lui préférait la bicyclette, en tournoyant autour de nous, à l'heure du départ? Ces volumes mandés d'urgence pour la fin de mon histoire, n'étaient-ils pas un cadeau de mon frère à mon père alors que ce dernier s'apprêtait à son départ définitif? J'étais donc là, jouissant de privilèges dont j'avais pourtant été dispensée et grâce auxquels je résoudrais en partie une séparation d'avec l'une et une réconciliation avec l'autre. À mes pieds, se désagrégeait une scène que les exécutants désertaient deux par deux. Le théâtre sombrait dans ces labyrinthes dont l'écho retentissait de chansonnettes:

Pourquoi demander aux autres
Un roman plus merveilleux?
Un amour comme le nôtre
Il n'en existe pas deux!

À cet instant précis, une femme de l'âge de ma mère déambulait sur la plage de Dieppe. Elle s'effondra sous les premières vagues qui lui léchèrent les pieds.

Mother? Mother? Where's my mother?

Le couple se penchait sur moi, en convulsions, dans un coin de la gare. Ils m'assurèrent que le hurlement provenait d'un peintre connu, Gwendolen John, décédé dans le dernier convoi de réfugiés arrivant à Dieppe, victime d'une guerre de Religion ou de la Peste, de cela ils n'étaient pas sûrs. Moi, je doutais du siècle, de l'époque, de l'anatomie, de la visée qui étaient miens. Je fixais une fenêtre qui se dérobait à toute perception intellectuelle ou sensorielle, à toute vraisemblance logique ou discursive, et qui me convulsait à l'instar de la mécanique ondulatoire que Broglie avait découverte en 1924 ou des sorcières de Salem que Verrazano avait atteint en 1524. J'informai le couple, à mon tour, que la trépassée voyageait avec pour tout bagage sa mémoire et ses huiles qu'elle portait ceinturées sur son dos: Une femme lisant à la fenêtre, Une femme vêtue de noir dévisageant le peintre invisible, Une femme nue et décharnée nous scrutant jusqu'au fond des yeux. Ne m'avaient-ils pas reconnue en cette dernière, couvant des yeux sa mort dans le regard de l'humanité en fuite que l'on gifle du nom de sa mère, dans une langue qui n'est déjà plus la même, mais celle de l'Autre?

Mother! Mother! Where's my father?

Il t'embrassa une dernière fois. Le convoi était arrivé à la nuit tombée. Je distinguais la locomotive électrique, les trois wagons de marchandises dans lesquels j'entassais les bestiaux, la voiture rouge de queue au garde-fou de laquelle s'agrippait un voyageur en deuil. Les passagers empilés dans le compartiment se piétinaient aux sorties de la rame de chemin de fer, poussés vers des couloirs si étroits dans ce territoire dépeuplé qu'ils semblaient se comprimer davantage que ne le peut tolérer la charnière de la pensée. Était-ce bien vers la station balnéaire que le troupeau cordé se dirigeait, ou était-il conduit vers un chemin de croix inconnu? Les dames relevaient leurs jupes qui traînaient dans la boue. Les messieurs soulevaient de peine et misère leurs chapeaux hauts de forme en direction de la civière, plus précisément, de la forme squelettique tapie en son milieu et sanglée d'un drapeau, dont les porteurs brandissaient les piques latérales pour briser l'ossature compacte de la foule qui criait parfois le nom d'un être cher. Une douleur me fit lâcher prise sur ton livre:

Buenas Noches Mi Amor
Bonne nuit que Dieu te garde
À l'instant où tu t'endors
N'oublie jamais que je n'aime que toi.

Il te sérénadait à l'oreille tandis que tu te caressais le ventre de sa main. Je ramassai le livre et la dernière ligne de cette page agrafée d'un signet allait m'éblouissant: *de sa chevelure qui grisonnait aux...* Existerais-je au-delà de sa Fin qui me battait aux *tempes. Cet homme était le sien.* La page 100 brûlait dans mes mains. Il était à toi. Il était déjà mon futur dans ton ventre. Il était la nuit qu'on appelle l'aurore dans une jonque dont on imagine les voiles se gonfler sur les murs de l'alcôve. Il était l'autrefois et l'infigurable, leur enchevêtrement qui formait ton présent: mon passé chimérique et mon avenir immémorial. C'était ainsi.

Dans le fouillis des bruits, des âges, des consciences, il t'enlaçait sur la limite du visible, du tangible, du langage, avec l'élan sauvage de la créature qui d'un seul mouvement d'allégresse se déracine et bascule hors du concret, dans l'abandon de toute présomption et de toute dette. Il devançait par son refus de toute espérance qui ne fût cette abolition répétée de lui-même dans tes bras, la terreur de tout désenchantement.

La fenêtre sans perspective que je fixais par le dehors et par le dedans, exhala soudainement l'air irrespirable, raréfié d'un cachot. L'homme entrait dans la légende antécédente à l'histoire. Le souffle de la poésie circulait.

15

Tu étais sur le quai. Il te soufflait des baisers de la portière du train: «À vendredi prochain! À vendredi prochain!»

Maintenant, je rentrerais seule à Montréal, je t'abandonnerais sur un quai à Trois-Rivières où tu avais aimé, joui et parlé déjà toutes les possibilités et impossibilités qui furent tiennes avant que je ne vous advienne. Je m'étais arrêtée à la page 99 quand tu poursuivais ton roman d'amour jusqu'à la Fin que je refusais de lire parce que j'y étais née. Je me disais que je devais t'aimer au point de sortir de tes jupes, de m'accrocher aux mots, non à ton manteau, au moment de te voir franchir le seuil d'une porte invisible, et te libérer ainsi du fantôme errant de ton après-vie que t'imposait ma hantise de t'habiter.

Il me fallait te laisser dormir en paix: baisser les stores, replacer tes draps défaits, refermer la porte sur la pointe des pieds. Chut! Il ne faut pas déranger grand-maman. L'on habille B et C en parlant tout bas, en n'emportant aucune valise, en éteignant les lumières derrière soi. Sur Mistral, l'on s'arrête chez Vinclette où B et C choisissent leurs friandises à une cenne. Devant la shop aux fenêtres grillagées, C cramponnée aux barreaux me supplie encore de la libérer. On tricote sur Saint-Hubert entre la pharmacie Léveillée et la fruiterie Hamel. Au tournant de la caserne des pompiers sur Jarry, un panneau publicitaire se dresse sur les toits. Des voix d'enfants m'élisent au détriment du modèle en médaillon:

Maman tu es
La plus belle du monde
Aucune autre à la ronde
N'est plus jolie.

Enfin au parc Jarry, l'on grimpe tous les trois au sommet de la glissoire et un étranger nous photographie.

C'est la photo que je cache dans la poche de mon pantalon quand je m'approche de toi, balançant ton bras à la façon d'un encensoir, à chaque élévation d'un sourire ou d'un baiser par la portière du wagon.

Ah! mon papa
Pour moi il était merveilleux
Ah! mon papa
Pour moi il était bon.

Ah! ma surdité toutes ces années où je t'ai aimée avant même d'exister; lui, depuis toujours, enfouissait sa langue dans ton ventre. Maintenant, je suis à tes côtés. Je pourrais presque te toucher bien que cet impalpable m'accouche du texte, presque te parler bien que cet ineffable m'accorde la parole. Comment, incapable d'échapper au temps, me supporterais-je jusqu'à ce train? Comment, dans la pénombre délibérée de ma conscience oblitérant la route jusqu'à ce jour, comment franchir dès à présent et de toute éternité cette béance qui s'ouvre entre ton corps et le mien?

Je me suis arrêtée, incapable d'avancer un mot de plus. J'ai tourné dans ma chambre tel un ours en cage. Comment continuer? Comment accomplir cette Fin? Comment poursuivre une Lettre qui nous sera retournée: mauvaise adresse, ou qui n'arrivera jamais à une quelconque destination terrestre car il n'y a plus personne pour répondre d'un nom sur une enveloppe? Je me suis précipitée dans la rue, dans le flot de la foule pour m'y noyer, emportée par le courant lessivant ma voix, ma vie dans l'anonymat de la masse se déversant sur la Plaza Saint-Hubert. L'écoulement interminable de la multitude: le seul lieu où anéantir son ombre sans abolir l'inconcevable, où crever les eaux de sa langue et laisser l'être qui en sort se liquéfier sans l'emmurer, où rêver s'évacuer sans s'achever. Y dégorger ses plaintes, ses injures, ses ordures jusqu'au dernier râle qui nous expulse du ventre de la baleine sur la plage des piétons, devant LeRoy, Champeau ou Dunkin' Donuts, la troisième station où, toi et moi, nous nous rencontrions. Alors malgré tous ces détours, d'une langue morte aux cris étouffés, des bains publics au naufrage privé, j'échoue sur la plage désertée de ton pas: partout l'espace rechigne et renifle dans la ville, l'espace transpire d'émotion à ta perte et je suis mouillée comme s'il eût plu ou si j'eusse pleuré à verse, sans que je puisse distinguer entre le son et l'ouïe la ressaisie, l'hallucination ou la suppression du maillon.

C'est pourquoi je me tiens à la portière du wagon sans pouvoir me souvenir de l'instant où je t'ai dépassée, déchirant cette peau sur mes os qui me rappelait celle de ton ventre, mais qui était la pellicule de ma langue tapissant mon regard sur le vôtre, là, dans une chambre nue parce qu'essorée de ma vue. La géographie de mon désir se déchirait sur l'ourlet de ta robe de plage, ici, sur la plage d'Évangéline où je me déportais en vrac vers cette autre langue dont s'était formé mon ancien nom, et je ne mesurais qu'après-coup l'espace infini que j'avais franchi, les yeux clos, pour me retrouver dans ce train, debout, et te tournant le dos, même m'appuyant contre le mur pour me soutenir et te faire face.

This is the primeval glance you cast over the ocean, distinct from the ocean.

J'étais trempée sans pouvoir me souvenir de la mer rouge que j'avais traversée à gué, me souvenant de toi en haut de l'escalier sur Boyer, nous envoyant la main alors que j'avais les mains clouées au mur dans ce train, la peau collée sur la clôture glacée de la cour d'école quand tu t'éloignais et m'adressais des sourires ou des bye-bye tonitruants de tes dix doigts, pour m'empêcher de crier ton nom indéfiniment.

Alors j'ai laissé de ma peau sur les barbelés et je t'ai applaudie à tout rompre. Je me suis levée sur la pointe des pieds afin de te distinguer dans la foule inexistante. Ce fut une salve de bravos avec tous les brisements d'os et de cœur, un tonnerre d'acclamations malgré cette cassure dans les couches géologiques de mon être, une tempête de vivats dans l'éclatement irrépressible des sanglots parce que mon corps ne retentissait plus que du silence abrupt du monde là où ta voix s'était éteinte.

Happy Birthday to you!
Happy Birthday to you!
Happy Birthday dear mommy!
Happy Birthday to you!

Au bout de ma corde, le filet de ta voix rompu; je n'espérais plus le rattraper. La corde s'est cassée: je suis tombée en bas du lit, en bas des escaliers, en bas de la page. Je plongeai dans l'infigurable, en désaveu de toute paternité, maternité ou légitimité qui justifiât à mes yeux mon non-vécu. Et j'ai risqué le peu qui me restait. J'ai vu ses yeux dans la fente des stores vénitiens quitter leur orbite, s'atomiser dans l'atmosphère à l'instant même où je la saluais par la vitre arrière d'une automobile en m'apercevant défenestrée au pied de ma maison d'enfance. Je l'ai vue s'éloigner sur Villeneuve sans ne pouvoir plus se retourner alors qu'elle se retournait déjà dans mon ventre pour sortir et que je ne pensais plus qu'à l'accoucher. Je me suis jetée dans les bras de cet homme que j'aimais au-delà de la terreur que je m'inspirais, et j'ai hurlé: «Je ne veux pas mourir! je ne veux pas mourir! je ne veux pas mourir!»

This is the primeval voice you raise over the crowd, distinct from the crowd.

J'ai baissé le drap: le miroir de ma petite chambre est apparu. Plus précisément, une multitude de miroirs surgissaient au fond du miroir, une multitude en abîme dans sa multitude, comme autant de livres ouverts empilés dans la couture d'une lecture infinie dont on décrypterait simultanément chaque strate d'écriture, de la plus contemporaine à la plus archaïque. J'y étais aspirée d'abîme en abîme, le bras érectile devant moi afin de me protéger dans la chute et de rattraper, tout à la fois, la maille qui filait et effilochait ma langue que j'abritais en me bâillonnant du poing. La fureur m'exhortait à la poursuite de mon moi dans tous les miroirs, à la ressaisie du manque qui fuyait vers sa pure absence.

This is the primeval touch you lose with nothingness, distinct from nothingness.

Le reflet se fendillait, démultiplié dans tous ces miroirs enclavés à l'infini, et je n'arrivais plus à me différencier. Que suis-je? Le reflet de la chose était flou, mangé sur les bords, étagé à la façon de tiroirs emboîtés dans un meuble sans contours, bosselé en autant de faces qu'il y a de bancs de pierre dans une mine. La chose s'épandait en une fine membrane ou s'épaississait en rudes callosités, se diffractait en escaliers, ou ondulait en différents lits. Le relief était accidenté au point que j'ignorais de quelle dénivellation je me constituais. En quelle écorce minérale, tapis végétal, anatomie animale, m'incorporais-je? Je voyais des yeux dans la fissure d'un store se pulvériser à l'instant de sceller ma maison d'enfance sur les chambranles de sa porte. La porte pleurait, ployait sous son linteau, plissait ses montants en accordéon. La douleur devint si forte qu'une charpente, lentement, se réarticulait dans le miroir autour de sa traverse. Deux figures tuméfiées se refaçonnaient autour de cette douleur axiale, semblables à deux ombres ombiliquées au même corps.

Dans ces élancements, je discernais mal si je portais le veston et la cravate, ou ce corsage de soie recouvert d'un châle. Étais-je la forme bleue en creux ou la forme rouge saillante qui dansait au bout du trait d'union lancinant? Le tracé de cette figure bipolaire se compacifiait, me scrutait de plus en plus près, jusqu'à ce que la configuration d'une lettre gigantesque me saute aux yeux, derrière la vision de Michel Fokine et Vera Fokina à bout de bras dansant *Shéhérazade*. La lettre colossale me ballottait entre deux corps étrangers qui m'entraînaient irrésistiblement à les imiter. Dans un miroir, je m'apparus nue à l'exception d'un voile qui me drapait: je dansais à la Isadora Duncan, jaillissant au bout du tapis sur la pointe des pieds pour me caler dans le fauteuil paternel à l'autre extrémité. J'oscillais entre les deux mouvements avec la grâce et la légèreté de ce jeune âge des jours heureux. J'étais l'oiseau de feu, la pulsation nerveuse entre deux ailes, noire et blanche. Je m'élançais vers l'azur, mais soudain m'effondrai au pied de la porte condamnée.

«Vous êtes blessée?», me demanda-t-on. Ma cheville enfla à vue d'œil et violaça. Curieusement, ma douleur avait cessé. «Oui, je crois, blessée», répondis-je. L'homme me soutint jusqu'au siège de bois où je m'affalai en le remerciant. Toi!

This is, since the birth of time, throughout all ages, seas and lands, cities and countries, streets and alleys, hymns and screams, the first sound of your own footsteps.

16

Le train filait depuis un bon quart d'heure. Je m'étais claustrée dans les cabinets, en proie à une violente crise, abîmée dans ce précipice entre deux corps d'où je tentais de ressurgir pour voler de mes propres ailes. Aspirée dans un tourbillon de bandelettes, je cherchais désespérément un nom qui me puisse sortir de ce roman de la momie. Yogi l'Ours courut dans ma tête avec le rire de B, le jumeau inséparable de mes rêves d'enfance. Je poursuivis ce quadrupède dans la souffrance morale de le savoir m'échapper au tournant d'une salle de cinéma, pis encore, le pressentiment de braconner deux bipèdes autour d'un lit m'obsédait. De grands pans de langue maternelle flottaient dans l'oubli tandis qu'une invasion de consonances étrangères sur mes lèvres m'ébahissait. Cette migration de sons inconnus dans ma bouche m'appela dans le couloir du wagon à la recherche de cette langue errante. À travers l'égratignure d'une vitre, surgit ma maison d'enfance verrouillée par une porte sans loquet. Yoni l'Ourse me traversa l'esprit! Un faux pas dispersa aussitôt les multiples feuillets de ma Lettre sur le plancher, brisa l'épine du livre qui l'emmaillotait. Un voyageur ramassa les feuillets pêle-mêle et le livre démembré après qu'il m'eut assise à ses côtés.

You! Enters a stranger by this invisible door: I was a woman now.

Tu cassais effrontément le français, je le remarquais pour la première fois. Tu fixais le livre ouvert sur tes genoux.

Je te glissai le secret à l'oreille: le dernier *Portrait de Mademoiselle C*, exécuté par sa sœur avant qu'elle ne meure prématurément d'une défaillance cardiaque; elle confectionnait une tapisserie entre un meuble noir et une fenêtre lumineuse. Tu inséras ma Lettre dans la fente déchirée du livre que tu me rendis, avant de te replonger dans la lecture d'une œuvre qui t'absorberait pour le reste du voyage. Je déchiffrai le titre courant, *Généalogie des Acadiens*, puis ton profil fuyant: j'essayais de repeindre l'ombre d'un cheval se profilant sur un mur, depuis le vol à la renverse de tes deux mains.

He bears the lightning of death.

Rêvant de ce galop, j'aperçus mon reflet dans la vitre du train: une tête de femme sur un buste d'homme s'évanouissant. De l'autre côté du miroir, j'aperçus le littoral atlantique sur lequel nous tanguions entre des maisons de poupées béant sur leurs chambres et des chaloupes immenses telles des Ophélie creusées par le ressac de la mémoire. Et je compris, dans la fulgurance d'un désir impossible, que je t'avais moi-même déporté de père en fils vers cette absence irrémédiable, à mi-chemin entre l'espace désert et le regard vide, dans le vestibule interminable de mon désenfantement. J'étais maintenant en proie à cette nouvelle mais immuable langue qui fut tienne, afin de subsumer la fragmentation de ton image dans ce corps allongé près du mien. La nécessité de respirer me pénétrait de la fatalité de cette séparation que je préméditais, après l'ultime étreinte de l'image et de l'invisible, du dehors et de l'existence, de l'instant imprévisible et du sort inaltérable qui avait été le nôtre.

Regarde! Des chevaux rouges et bleus à l'aine entaillée galopaient le long des rails, la crinière en flammes. Tu souris vaguement, puis tu me demandas abruptement le but de mon voyage. La question m'embarrassait car la vérité s'avérait difficile à assumer. Qui a franchi le seuil de sa terreur et abandonné le vestibule de sa vie embryonnaire, comme autant de vestiges d'infini pétrifié à hauteur du premier cri, s'apparente à l'aveugle qui voit, mais qui fuit les villes, les humains, les échanges courants pour protéger encore sa nuit de cette résonance poétique qui l'aspire vers le ruissellement du temps dans le scintillement des yeux. Ainsi je le proclamai: rien ne m'obligeait à l'isolement, à l'inconfort d'un train filant vers une ville qui ne pouvait être cernée d'aucune enjambée, d'aucun arpentage, d'aucun trait bleu sur une carte touristique. Rien ne me liait à quelque promesse ou à quelque visage que ce soit au bout de cette voie ferrée sinon, précisément, cette incapacité d'encercler ma vie.

Le silence du monde s'appesantit entre nous et me renvoya à la muraille de maisons de poupées qui serpentait à l'est, tel le mur de Chine, entre les multiples encoignures des terres et des courants marins. Un léger tintement à l'oreille venant je ne sais d'où, me réveilla en sursaut: l'oreille tendue, l'homme attendait la suite de ce que je venais tout juste de lui dérober par mon sommeil. Le tintement persistant de son interrogation me surprenait hors du vestibule, dans l'antichambre de la vérité où seul l'espoir renaissant d'achever ma Lettre me fit reprendre haleine. Il y avait, bien sûr, cette sœur cadette mal portante, dans une clinique réputée de la ville de M, que j'irais visiter, ajoutai-je, d'une voix trop forte pour qu'elle parût naturelle. Je baissai le ton. On la soignait pour de violentes attaques qui la faisaient saigner sporadiquement comme une crucifiée. Elle n'avait plus d'autres attaches au monde qu'à travers son épanchement inépuisable en lui.

On n'entendit plus rien sinon le martèlement absent des chevaux rouges et bleus sur les remparts de la ville inconnue que le train longeait, et qui décuplait le battement sourd du cœur dans mes artères, piétiné sans pitié sous leurs sabots. La colère grondait, chassait la fatigue que mon compagnon de route provoquait par son écoute insatiable. Mais la Lettre poursuivie entre ces éclairs de conscience, que je ne repoussais plus en quelque évanouissement au détour d'un mot ou d'un souvenir subit, étalait ses racines terrestres, et aurais-je tenté de les arracher avec mes doigts, avec mes dents, que de tous mes orifices aurait jailli maintenant une bonne terre noire et nourricière. Alors je criai presque, manifestement exaspérée, impatiente de clore le sujet, qu'il y avait aussi une *Vierge à l'Enfant*, signée A H, Wien 1910, dans l'un des corridors de l'hôpital, et que je voulais racheter à n'importe quel prix à son propriétaire. Ce dernier, fervent disciple d'un docteur autrichien, avait acquis le tableau d'un marchand lors de ses nombreux déplacements dans le vieux monde, auxquels la pratique de sa profession l'astreignait.

Un geignement essoufflé engloutit le silence, l'écho ou le tintement qui aurait pu recommencer. Là où un bâton, des ciseaux, des ongles acérés auraient frappé à la racine du mal, des mains d'enfant s'élevaient et se tassaient en grappes frileuses sur les lèvres. La Lettre s'écrivait devant les yeux. Nulle main visible ne tenait le crayon, nul mot clef ne détenait le récit et, chose étrange, nul impératif ne justifiait vraiment sa retenue dans la voix blanche qui affectait la femme nouveau-née dans l'enfant. Il s'agissait d'attendre que la parole ne tolérât absolument aucun jugement, aucune résolution, aucun regret, plus encore, ne se substituât à aucune révélation, pour parler. Car il y avait d'abord ce patronyme que je cherchais à désenfouir de sa gangue d'oubli, quitte à perdre la raison au nom de l'invisible, afin qu'il fût le signe de ma sollicitation au souffle sur terre. Tel était l'ultime motif de ce voyage vers M que je ne pouvais te divulguer.

He bears the lightning of love.

J'essayais de réinventer la cosmogonie d'un univers poétique, hors du cercle vicieux de l'entendement ou de l'ineptie, dégagé du cycle infernal de la réalité ou de la tromperie et cet univers, libre de toute amarre qui ne fût d'abord l'ombilic d'un désir reconnu incarné dans la loi, affranchi de tout devoir qui ne fût d'abord l'accueil de l'inaccomplissement commis en règle, délivré de tout ordre qui ne fût d'abord l'acceptation d'une impuissance fondatrice engendrant parole, épousailles de langues, amour fou des mots, passait par toi dans la voie lactée du rêve, par toi, m'ouvrant de ton nom le Vide, non le vide du plein, mais le Vide du rien et pour rien. Cet univers de rêve me cintrait d'une fiévreuse humanité, dans la fraîcheur de l'aube et la douceur de la poussière derrière mes pas, au-delà de la porte sans perspective qui pût être appelée embrasure, ni orientation qui pût être appelée frontispice, où moi j'appelais le Plein, non le plein du vide, mais le Plein de toi, pour toi. Quand j'erre dans l'univers, je quête à travers ce qui n'est pas, cette vision de toi et moi, pour moi, qui n'est plus.

J'essayais d'esquisser par le mot univers la topographie indéfinissable d'un nom, et ce nom d'office dont je m'étais acquittée sur tous les registres, n'en demeurait pas moins impalpable, fuyant, à travers ce no man's land à la fenêtre ou ces consonances d'aucune langue sur mes lèvres. Pourtant ce nom m'avait désignée depuis l'éveil originel au sein de la nuit terrestre, m'avait indiqué l'innommable dans ma langue hors d'haleine, dévoreuse de voix, et cette chose sans nom dont je parlais dans l'illumination de l'étreindre quand je me taisais. Mon nom échappait cependant à l'emprise du présent, à sa disparition sans gêne ni douleur dans l'étreinte amoureuse. *La pièce était plongée dans une semi-obscurité, et seul le bruit des vagues venant mourir sur la plage troublait le silence... L'amour leur appartenait.* Le livre inachevé de ma mère commençait et finissait de la sorte; j'avais écrit ma vie entre cette majuscule et ce point, dans l'espace aveugle des points de suspension où le train filait tel un stylet tranchant dans les feuillets de ma fiction, et là il n'y avait plus de réponse à ta question.

Tu étalais sous mes yeux des photos étranges, les visages tuméfiées de toxicomanes parmi lesquels je reconnus Artaud dont tu avais dessiné de multiples croquis dans les marges de journaux, à l'en-tête de documents officiels. Ta serviette regorgeait de poèmes griffonnés à l'intérieur de cartons d'allumettes, de paquets de cigarettes, parfois sur les coins d'un mouchoir quand, dépouillé de toutes pièces d'identité, accroupi contre la clôture d'une ruelle, tu attendais le signal d'un informateur qui te ferait enfouir tes rêves dans tes poches et te faufiler dans l'abject par une porte arrière. Tu tiras ensuite précieusement un livre à la reliure pleine et aux coins grugés, imprimé en 1846, de Henry Wadsworth

Longfellow dont tu prononças solennellement le nom en enchaînant sans une pause kiss the dying lips and lay his head on your bosom. Je sursautai dans cette chambre de la vérité où nos pas venaient de pénétrer et, mue par cette détermination prométhéenne d'unité, j'avançai, sans plus regarder derrière. Rien n'entraverait désormais mon acheminement vers toi, sinon toi, me devançant avec tes *Poems for a New-Born Child*, ralentissant mon pas en bordure de cette enveloppe dont tu rabattis la languette sur le secret d'un autre nom.

Puis ta vie déferla sur les brisants de mon désir, dans le labyrinthe de mon écoute flottante; s'y ébaucha ton autre figure depuis les jours et les années qui te virent fragile derrière tes fortifications, tremblant dans tes retranchements. Je n'offrais plus de résistance. Mon front glissait vers ton épaule, hypnotisée que j'étais par ce mirage devant, dérubannant le présent de ta voix. Ma tête plongeait dans les plis de ton trench-coat, dans le flanc de notre attente muette des mots silence ou soupir, exhalaison ou effleurement. Mes muscles se relâchaient, abandonnant mon corps à ton étreinte, en 1962, dans ce jardin du Mass. où maman nous photographiait. Ma tête roulait d'entre ses seins au fond du trou que creusait le poids de ton corps endormi de l'autre bord du lit, à la ferme de Sainte-Angèle, en 1957. Oui, je me souviens, je tomberais enfin sur toi pour t'étreindre à ton tour dans mon sommeil. J'accourais dans les vagues vers tes deux mains aplaties sous mes seins et mon ventre au lac des Deux-Montagnes, en 1954, pour apprendre à nager entre tes cuisses. Ton nom me soulevait parmi les flots des rivières et des rapides, parmi les ondulations des collines et des champs. À la poussée maximale, je lâchais la toupie qui s'étourdissait sous mes yeux jusqu'à l'exténuation complète de tout cet affouillement de mon sexe où s'enclenchait soudain le songe d'une filiation, marquée du sceau de la séduction.

So now he bears my inconceivable name Hebert. And the sea licked the rails and I waved my hand to the ones I loved in all that tossing and mumbling where a child begins to die.

Hold me close and
Hold me fast
The magic spell you cast
This is la vie en rose.

17

Je ne pouvais plus répondre de rien. Je m'abandonnais à cette vague de fond qui remontait dans ma bouche et redescendait dans la mémoire de rien et de personne. J'ignorais ce qui venait et repartait, je laissais le manque m'effiler et m'infonder. Dans cette douceur terminale où s'échappe toute proie, je laissais l'écart me perdre en cours de récit, l'inaudible m'effacer en cours de l'histoire. Car je me souviendrais: le manège des chevaux de bois tournoie et je tombe sans fin dans les bras de mon père.

Je n'allais plus me réveiller. Je n'allais plus sortir de cette fiction où le train m'emportait à rebours des semaines, des années, des siècles, à rebours des romans, des mémoires, des annales, des encyclopédies, à rebours des écritures modernes et anciennes, des écritures saintes et des écritures indéchiffrables, à rebours de mon nom jusqu'à l'indicible où persiste le souffle de vie que l'on poursuit jusqu'aux limites de l'espace stellaire. Je n'arrivais plus à tenir ma fiction à flot. Elle s'enfonçait en quelqu'autre fiction où je possédais maintenant un nom, mais dépossédée des êtres qui le nommaient et du fil même de la narration.

This is the last will and testament of me, Robert Joseph Hebert, born in Shediac, N B... Shediac meant "running far in" and that's what it was all about, from the beginning of time: I was running before the sea, calling off the sacrifice that should bear my body up, but still running you so close that I was out of breath and that the sacrifice began.

L'on sonnait furieusement le tocsin. D'un côté, la mer inimaginable, mais remémorée, se mourait sur cette voie sacrée où l'enfant, ouvrant ses poignets, allait au bout de la nuit des temps, s'ouvrait à la mélodie du futur s'insinuant dans ces couches d'ardoises d'écolier qu'il fendait d'un cri: qui m'appelle? De l'autre côté, sur la grève, se déroulait une procession nocturne, contrainte à l'exil vers des terres funéraires, contrainte à la descente vers les sépultures de la langue, dépouillée de sa furie créatrice et s'engloutissant dans le bêlement du sacrifié. Dans la souffrance de ce nulle part incarcérés, des corps soudain s'arrachaient à la masse native d'une seule clameur: Brûlez le temps! Brûlez l'époque qui vous fait sous-hommes ou surhommes, qui vous fige en gardiens de bestiaux et en geôliers du rêve, qui ne mène qu'à tuer la voix et à étouffer le souffle d'un seul poème!

Qui se déchiraient les doigts dans l'étreinte éphémère? Qui se dévoraient des yeux dans le baiser perdu au milieu de la meute? Qui hurlaient dans le silence de mort de la séparation, en ce décembre opalescent de 1755? Quelle agonie se perpétuait ainsi depuis le début des temps et se perpétuerait 228 ans encore? Aucune réponse, à l'exception du sentiment de son faux nom, inhérent à toute perte qui refuse de se laisser ainsi pleurer.

Pendant six jours, sévit l'incendie sur le littoral. Le lacet délié des maisons en bordure du train flambait dans mes yeux de braise, sur mes lèvres consumées. Sans oser regarder derrière, je me savais au bord de la ruine: au bord de n'exister plus qu'entre une patrie à jamais perdue et l'inconnu à jamais inconnaissable. Le châtiment ou le chant m'adviendrait par la bouche. L'effondrement ou l'engendrement ne m'épargnerait plus du secret. La mêlée ravageait la grève de va-et-vient cruels: la fille en quête de son père, le mari en quête de son épouse, la mère en quête de son fils, le frère en quête de sa sœur. Et les voix se renversaient: la sœur appelait son frère, le fils sa mère, l'épouse son mari, le père sa fille. Puis, la chaîne se croisait et l'on ne discernait plus qui réclamait qui: la mère sa fille, le père son fils, les frères et sœurs leurs géniteurs ou vice-versa; ou qui réclamait quoi: la femme son amour, l'homme sa liberté, l'enfant sa destinée ou vice-versa; ou quoi réclamait quoi: le bonheur la contemplation d'un visage, l'autonomie l'écoute de l'invisible, l'avenir la préservation des traces ou vice-versa. Et la perpétuation de l'espèce aboutissait dans ma bouche haletante, grésillante de ténèbres, car l'enfant portait en mon sein toutes les chairs porteuses de sa chair, toutes les pensées pétrisseuses de sa pensée, toutes les langues triturantes de sa langue, et tous ces pères et mères, et immuables et imparables, maintenant s'accouchaient d'elle, à travers moi, entremêlée aux cadavres, aux vivants et à personne.

So it ran, ran so fast, ran so far that it was out of birth, on the verge of dying. And so I lift myself on my feet again and begin to walk and begin to live. *I hereby will, devise and bequeath, unto my dear wife, Rose, absolutely and forever all my Estate, both real and personal...* The train had stopped. I was looking out by the window and seeing what I couldn't see freely until now: a moment in time that would give sense to the void we fill up to find the meaning of the word "timeless".

Je sortis du wagon désert, immobilisé sur les rails, et dont les stores du côté de la mer s'étaient abaissés brusquement. J'observais une scène qui se déroulait à l'instar d'un film muet, mais sans sous-titres qui puissent délimiter l'écran. À la bifurcation d'un chemin, des chevaux rouges et bleus lézardaient un champ de blé sous des nuées de corbeaux. Un petit homme noir et moustachu brandissait un pinceau imbibé d'une substance ocre brun derrière eux. Je lisais sur ses lèvres: «Mais pas réaliste! pas réaliste!» À l'aide d'un lasso, il captura les bêtes, les corda à la queue leu leu à partir d'un pieu de fondation. Dans une jubilation extrême, il les peignit selon les convenances, puis admira son Œuvre: elle se transmuta d'abord imperceptiblement, chancela après quelque temps, enfin s'effondra dans le champ, asphyxiée. Cet échec ne semblait pas importuner le maître outre mesure qui, sur ces entrefaites, tira de sa poche un lance-pierre pour viser les corbeaux qui entachaient la blondeur des champs sous le ciel bleu. Je lisais sur ses lèvres: «Mais trop pessimiste! trop pessimiste!» Les cibles atteintes, il accourait les asperger cette fois d'un beau jaune pipi. Les soleils par centaines battaient de l'aile sur l'étendue des champs, lentement se confondaient avec le frémissement des épis sous la brise, puis s'éteignaient telles des pépites d'or devant lesquelles le maître contemplait le Grand Œuvre.

Jusqu'à ce moment, j'enregistrais la scène à la façon d'une cinéphile agacée, dans la dernière rangée du cinéma, qui préfère somnoler sur les bandes d'actualités ou les dessins animés qui précèdent *Teorema*. La spectatrice soudain fut intriguée par l'irruption d'un chien qui mordait les jarrets des mammifères, déchiquetait le plumage des volatiles entre ses crocs, sous les cliquetis d'un Instamatic qu'un photographe maniait avec la délicatesse d'un boucher qui éviscère, et dont il glissait les clichés au fur et à mesure dans des enveloppes de vélin blanc qu'il adressait à sa famille au loin. Ces chevaliers servants accompagnaient leur maître depuis le début, mais la spectatrice les aperçut, participant au carnage, à l'entrée d'une dame balançant sa basquine par le châssis de sa chaise à porteurs sur la route et gesticulant désespérément. Elle appelait à l'aide un homme d'âge mûr qui fredonnait *le Beau Danube bleu*, assis sur une pierre, et qui sortit pour l'occasion son cornet acoustique. Sans voix, elle lui indiquait de ses doigts fébriles sa poitrine d'où, semble-t-il, le souffle venait à lui manquer; l'homme cependant visait de son cornet la source dans son visage d'où jaillissait le manque à parler.

Accourut le maître, avec sa troupe, la fronde au poing: au front il visa l'homme qui s'écroula. Le maître lui trancha la tête, saisit la chevelure, leva le trophée aux yeux du monde qui se transforma en statues de pierre. Je lus sur ses lèvres: «La communauté du sang». La dame affolée tomba de sa chaise à porteurs; ses paniers relevés la découvrirent entièrement nue dans ses escarpins. C'était l'historique chute de Mademoiselle Churchill sous le règne du Roi Soleil qui lui valut ses épousailles avec un noble contemporain venu à sa rescousse en se saisissant du cornet acoustique à la façon d'un entonnoir dont il introduisit le tube entre les lèvres bleuies de la dame qui ne respirait plus. Le sauveur souffla tant son haleine que sa haine dans l'entonnoir en forme de porte-voix. La crinoline se gonfla, le corset se fendit, la tournure éclata, la culotte «petit bateau» se déchira sur ces années folles d'où émergea une fillette en sang et en pleurs qui courait vers moi, abandonnant le corps protubérant qui explosa comme une grenouille.

Sous le choc, je mordis ma langue dans l'espoir de couper le cordon qui pendait du nombril de l'enfant presqu'à ma portée, et que j'expulsais par la bouche en me vidant de mes tripes. Je protégeai mon sexe quand l'enfant fut à la hauteur de mes yeux, mais elle plongea plutôt ses griffes dans ma chevelure. Une lutte sans merci s'engagea. L'enfant déployait une force de démiurge. Médée n'avait pas dû manifester autant de rage meurtrière. Où fuir les mains d'une enfant? Nous étions près du filet sur la grève, l'enfant me tirait par les cheveux vers la caverne. J'avais senti les rails me lacérer le dos, maintenant le sable râpait ma peau. J'avais beau tirer de mes ongles sur la couverture de la plage, la côte s'enliserait avec moi dans le giron océanique. J'avais de l'eau au menton: la robustesse de l'enfant se nourrissait de mon abdication devant l'horreur.

Étais-je née pour demeurer l'esclave, sinon des connaissances, du moins de cet obscur désir fusionnel qui me ferait encore perdre le combat avec moi-même? Dans un ultime effort de pensée, je retrouvai une poupée à l'image de l'enfant, en l'un des cahiers étalés sur mon lit, lors de ma première nuit de solitude sur terre. Je la découpai. L'enfant ayant lâché prise, je m'emparai de pierres et de coquillages que je lançai dans sa direction. Elle fut transpercée aux quatre points cardinaux, aux mains et aux pieds, là où le monde vient se pelotonner dans un corps; une écaille d'huître lui ouvrit le flanc. De ses plaies s'écoulait une eau limpide, le blanc de ses yeux coulait sur sa robe. Retournait-elle à la mer ou la mer reprenait-elle son enfant d'eau bien-aimée, cruci-fiée sur terre? À l'instant où l'enfant se dilua dans la masse liquide, je m'évanouis.

J'ouvris les yeux, le septième jour, au carrefour de tun-nels nébuleux fuyant vers différents horizons. Les corridors lactescents, qu'empruntaient le train ou la grève, menaient chacun à une destination inconnue, mais au même but: me dessouder de l'enfant d'eau dans mon sang et l'ensevelir solennellement. Comme si les routes du monde se résumaient au croisement de ces couloirs blancs d'hôpital où chacun pansait, sa vie durant, les coupures d'avec son rêve de com-munion. Que les attaches au temps, aux visées du temps, aux caches du temps soient indissolubles, peut-être, mais que la servitude du moins soit souveraine. Qu'elle voie ses chaînes à la dimension de ces lacets que l'enfant souhaite ardemment nouer seule, devant sa mère, un matin d'hiver quand la blan-cheur du temps ne se distingue plus de la nuit du premier jour que l'on vient d'explorer du bout des doigts dans des œillets. De là, le seul mur dont on puisse s'assurer, sa nuit durant, s'avère cette terre que l'on foule de son pas.

Ainsi sourdait de la grève, à quelques pouces de mon visage, le cadre en bois de rose de *la Vierge à l'Enfant* que j'exhumai avec la fougue d'une archéologue dégageant de la nuit des temps le taureau androcéphale dont les yeux givrés ont cartographié Ninive. Je contemplais dans ce tableau, manifestement signé du maître, la fresque d'une civilisation échafaudée à coups d'écrans et le berceau de ma propre humanité élaborée derrière un voile que je détachai délicate-ment des rebords de la toile comme un litham. L'invisible parut entre la Vierge et l'Enfant, tel Patrick entre Anne, Charlotte et Emily: la double figure nominale du père de ma mère et de mon propre père, Albert Hébert, dont l'invisibi-lité me rendait soudain visible cette peinture étrangère deve-nue singulièrement mienne.

Avant même de ramper à quatre pattes, de me redresser sur mes pattes, de palper un mur dont la croisée m'alignerait sur la mer et l'horizon en contrebas de ma mise à mort, une mélodie me parvenait de cet au-delà pétrifié sur la toile. Une musique, en effet, se tissait de chaque son de ce nom conjugué de deux oblitérations et s'élevait à l'instar d'un pont entre l'ultime humanité d'un chien aboyant quelque part, hors de la cité, son rêve de proximité et la prime animalité d'une femme, étrangère au monde visible, mais faisant son entrée en ce monde par la porte arrière, faisant son entrée dans l'écart, dans la mise à distance se constituant langage, une chanson d'amour sur ses lèvres.

Parlez-moi d'amour
Redites-moi des choses tendres
Votre beau discours
Mon cœur n'est pas las de l'entendre.

Pourvu que toujours
Vous répétiez ces mots suprêmes
Je vous aime.

18

Maintenant que l'absent m'était rendu absence, irrémédiable absence, absolutely and forever, je me traînais sur le sable vers cette ligne brisée où la griffe du rivage rivalisait avec le bercement océanique et, en cet interstice hostile au savoir, j'abandonnai la toile au flottement indéfini entre le fini et l'infini. Et maintenant que l'absence m'était rendue abysse, irréparable abysse, absolutely and forever, le cercle du monde se dressait autour de moi, une coupure profonde entamant sa circonférence, et fût-ce l'haleine de l'animal blessé, la plainte de la femme entaillée ou le pleur de l'enfant renaissant, un chant d'amour s'exhalait par cette faille. Je palpais les limites du temps et de l'espace à travers mon organisme surgi d'entre deux eaux; je me retrouvais dans l'espace magique, tout à la fois corporel et immatériel, de la poésie, soumise à la perte, insoumise à la comptabilité, soumise à la pénombre, insoumise à la progression, soumise à la nécessité, insoumise à la classification, et fredonnant *il y a longtemps que je t'aime, jamais je ne t'oublierai.*

Tandis que cette double figure paternelle recouverte d'un suaire s'étendait à l'arrière-scène du tableau, à l'instar d'un monde invisible à l'endos des œuvres humaines, je me rappelai que nous étions en ce fatidique neuvième jour de décembre de l'an de grâce de 1755 à Port-Royal, bien qu'Albert fût mort depuis longtemps, un 28 décembre 1933. Toi, sous le nom de Hébert, tu l'avais déjà rencontrée à la Noël de 1941, épousée le 21 décembre 43; elle accoucherait de B le 24 décembre 1944. Je savais qu'elle s'était esquivée, entre Albert et toi, le lendemain de ses relevailles, ce 25 décembre 1982, trois mois après que je m'eus accouchée d'elle dans *l'Existence*, à l'âge exact de 33 ans et 6 mois qui fut son âge pour s'accoucher d'elle à travers moi, le neuvième jour de mars de l'an de grâce de 1949.

Elle était partie à l'instant d'épuiser le cycle du jeu et de la répétition, de terminer la mise en scène de son désir dans le tableau interminable de la vie, de clore historiquement sa métaphore amoureuse dans l'existence. Elle me léguait cette passion du ciel azur qui fut sienne, quand d'un regard elle levait le monde vers le gouffre de beauté suspendu au-dessus de sa tête, telle une bête égorgée dont le sang aurait coulé bleu entre effroi et terre, sans qu'elle n'ait plus à fuir d'un cri dans l'île le firmament de son propre sang entre ses cuisses. Sur le sable, je voyais ses taches d'encre, ses macules de mots retranscrits maladroitement dans un cahier, entre le lavage et le repassage, les doigts tartinés de ses préparations culinaires. Puis ses griffonnages se transformaient en cette calligraphie accomplie de ses livres de recettes et de bonnes chansons, en cette écriture achevée de ses lettres et cartes d'anniversaire, notamment de sa dernière carte de Noël que je lui avais achetée afin qu'elle puisse m'offrir, à son tour, cette place de la mère à l'enfant, au pied d'un pommier en fleurs: *Je t'aime beaucoup. Maman. Merci pour tout.* Une écriture que je ne pourrais jamais rendre malgré la posture qui fut mienne quelques jours plus tard, étreignant mon enfant froide, enfuie vers le paradis de ses rêves.

La neige tombait doucement. Je la balayais en vain avec mes mains, mon souffle. Rien ne préserverait son profil du linceul qui le recouvrirait, semblable à un rideau de scène disséminé enveloppant le Théâtre entier de l'existence dans la mémoire d'une époque. Sa beauté avait aboli le monde et maintenant l'univers, les hommes, les langues surgissaient de ses entrailles. Des voix s'élevaient de la mer saupoudrée de crème de tartre ou de farine lactée vers moi tout étoilée des poudres parfumées de ma mère. Descendaient sur les flots une suite de sarcophages ouverts reliés par un cordon. Rien de mortuaire. Ils ressemblaient à des coques au ventre chaud.

Dans le premier sarcophage, mon premier père Étienne, du comté de Vienne, le portrait de Marie dans ses bras. Il était cordonnier et m'avait cousu mes petits souliers. Dans le second sarcophage, mon second père Jean, le pêcheur, le souvenir de Jeanne dans ses bras. Il m'avait tirée des eaux pour m'apprendre à flotter sur l'eau. Dans le troisième sarcophage, mon troisième père Charles, le fermier, le visage de Catherine dans son cœur. Il m'avait dit: «Maintenant lève-toi et marche!»

Massé est montée dans un grand pommier
La branche a cassé
Massé est tombée
Où donc est Massé?
Massé est su' l'dos!
Ah! relève, relève, relève
Ah! relève, relève, Massé.

Dans le quatrième sarcophage, mon quatrième père François, l'exilé, Catherine dans ses yeux. «Persévère!» criait-il au loin, du cœur de ses pérégrinations. Dans le cinquième sarcophage, mon cinquième père Joseph, l'émigré, Victoire dans sa voix. Sa voix ne me rejoignait plus, outre-frontière. Dans le sixième sarcophage, mon sixième père Thadée, l'orateur, Scholastique dans sa tête. Je prenais la parole.

Malbrough s'en va-t-en guerre
Mironton, mironton, mirontaine
Malbrough s'en va-t-en guerre
Ne sait quand reviendra.

Dans le septième sarcophage, mon septième père Jacob, l'encanteur, Cécilia dans sa vie. Je devenais crieuse publique. Dans le huitième sarcophage, mon huitième père Abbe, le maquignon, Alida dans sa mémoire. Les grands chevaux sur-

gissaient de mon passé. J'aperçus alors dans le dernier sarcophage, mon neuvième père Robert, le policier, Rose dans sa
langue. Filait derrière lui la suite invisible du monde, la suite
de sarcophages vides qui serpentait jusqu'à l'horizon.

> *C'est la belle Françoise, lon gai*
> *C'est la belle Françoise*
> *Qui veut s'y marier, maluron, lurette*
> *Qui veut s'y marier, maluron, luré.*

J'ai couru dans les vagues, tendu les bras, hurlé dans le pavil-
lon de mes paumes battant des ailes autour de mes lèvres.
    Daddy! Daddy! Daddy!
    Tu avais traversé toutes les guerres, de la guerre de
Trente Ans à celle de Cent Ans, de la nouvelle guerre de Cent
Ans à celle de Sept Ans, de la guerre de Sept Ans à celle de
Sécession, de la guerre de Sécession à la Deuxième Guerre
mondiale, de cette dernière guerre à ma guerre des nerfs, à
ma guerre d'usure, pour ressurgir là, sur mes lèvres. *Mon
pèr' n'avait fille que moi, Encor sur la mer il m'envoie.*
    Daddy!
    The train whistled three times and you looked at me
straight in the eyes. You wore a metal suit of armor without
the helmet. Your battle shield sparkled on the sea and
blended me for a while. I was in a maze, struck with admira-
tion and my hand over my eyes, I finally saw your coat of
arms: a golden shield on which were a red rampant lion and,
on other times, three shining apples. You were a knight hold-
ing in his arms his noble lady. And now, I was coming out of
the sea. I rose from Chaos, rose naked from the foam of the
sea and walked on the sea. I stepped ashore as the train
whistled again three times.
    C'était l'embarquement pour Cythère; sur la grève,
pour saluer votre passage, j'ai soufflé dans une conque. Le
collier de coquillages se déroulait au-delà de l'horizon en feu,
s'évaporait de l'autre côté de la nuit tombée, disparaissait
dans la voûte céleste, là où le pays s'éclipse en un pur espace

paradoxal, où l'espace se pâme en un plus rien à voir et détruit tout support de nom. Rompue la promesse de fidélité, cassé le jugement de culpabilité, parce que j'étais née du désir et retournais au désir, support des lois, des droits et de leur négation, par la fente de la divinité qui fait l'humanité, dans la vulve de l'univers qui s'ouvrait le ciel par les cuisses, pour s'évanouir dans le duvet nuageux et les derniers lambeaux d'azur flambé au bout de mes yeux.

Je titubais en direction du wagon, dans le couloir blanc de l'oubli, dans la déchirure d'un immense voile de communiante qui m'eut engendrée à l'instant. Sur le marchepied, je cueillis une photographie de toi, à la belle époque, à l'orée du XXe siècle, avant l'apocalypse de 49. Debout sur tes deux ans, tu affichais fièrement un petit chapeau breton sur des boucles blondes, un pardessus mi-jambe, double-breast, à huit boutons, des bottines noires étranglées dans leurs lacets. À côté du landau de ton frère, tu étais beau comme l'enfant dans mon ventre qui rêve un jour de te ressembler. À l'endos de la photographie: *Robert, going away*, et j'ai pleuré. À travers mes larmes, le wagon surgit dans la pénombre, à l'image d'une chambre aux persiennes closes, au lit défait. Une ombre m'effleura que je saisis à bras-le-corps.

Daddy!

I was grabbing at you, in the still of the night, grasping your life and the shadow came to rest. We were clasped in each other's arms. I didn't dare breathe and frighten you away. Motionless and speechless I was, just feeling the child in me dying to touch you, kiss you, love you. Then you swift away. In a very gentle voice, you asked me to return what I had stolen from your Book. You were standing in a semi-darkness, between a chest of open drawers and closed shutters. You repeated very softly your claim and I sigh. I was fading away at each word you drop in my ears: sighing like wind, rustling like leaves, simmering like water, before your very eyes. All in fear and tremble, yearning for the sight of your own yearning, but feeling grievously shaken by that fall when I was forced to capitulate, to hand out what I had dearly robbed you of.

I searched nervously in my pierced pockets and gave back a roll of Life Savers that you put away in its Christmas Book of Life Savers, of various flavors, you used to give me each year. You closed your Book and said, a little teasingly: now, nothing is missing. I blushed. I felt ashamed. I looked down on my clothes soaking wet, my dress shrinking to child size; I would have crawled out of the room. You handled the situation quite mysteriously, withdrawn into the gloom of the bedroom, just cutting, tearing, folding paper and the crumpling of parchment rumbled continuously in my ear. Then, you stepped forward and invited me to your table.

The sea squelched in my shoes. I tiptoed and took a chair. You told me it was "your" place. I jumped out of it, laughing to myself, begging you to show me "my" place. That light breeze and fragrance in changing places, I was in a daze. I seized you again.

Daddy!

19

Dès le commencement, celle qui naît de la multitude impénétrable, du vertige entre deux voix ou du sacrifice à la loi, peu importe, passe l'existence à pleurer, en toute connaissance, l'absence d'autre dont elle provient. Nul ne voit l'absence car nul ne désire l'autre. D'elle, ses mots ne sont rien d'autre que l'humble prix pour racheter une présence pour toujours perdue à sa saisie. Mais au risque d'annuler la communauté humaine, qui ne plongerait dans l'abîme d'une seule voix d'enfance qui tinte à la périphérie de sa raison, pour ressaisir, à travers la fatalité des frontières, la poésie indéchiffrable et sans royaume dont elle est la résonance? Ainsi, le visage trempé des eaux amniotiques ou des eaux du Styx, enfouie dans l'enceinte de tes bras ou dans la clôture d'un mythe, vers l'absence sans sépulture de l'autre j'étais projetée. Ni entrée, ni sortie, ni chute, ni jaillissement en quelque gouffre de la pensée ou faille de l'écorce terrestre qui ne soient la clameur, condamnée à l'étouffement, du désir me brisant l'échine sur toi.

J'aspirais ta langue dans ma voix, qu'elle m'appartienne! Elle était l'âme d'un moi jadis, j'inhalais tous les sons de ton organisme et j'absorbais l'encre qui filtrait entre tes doigts sur des feuilles sans ligne ni marge ni contour. Alors ne me rejette pas de ta voix, même illusoire, balbutiais-je en quelque pause d'un immense poème qui se ressoudait dans ta langue from you to eternity. Toutes les voix accompagnent le poème hors du pays natal et du château d'enfance, vers l'inconsolable solitude humaine et la mélopée incessante d'un appel: qui m'appelle? Qui énonce le nom dans la mêlée grâce auquel j'attendrai devant une porte que l'on m'ait appelée de toute éternité pour l'ouvrir à ma propre perte? C'est moi qui m'appelle, la main sur ma gorge afin de presser les sons hors de leur songe utérin. Car à quel sacrifice ce nom de mon père que je revendique mien me soumet-il, sinon au sacrifice de l'enfant indompté et anonyme qui regimbe de baptiser d'un nom chaque chose dans un poème et d'anéantir le rêve d'une matrie sur le rivage marin. Qui suis-je maintenant que le repos me vient à l'allure d'un poème quelque vingt pages plus loin vers lequel la lecture à la lueur d'une lampe de chevet nous mène inexorablement: les lèvres du désir sur les noms des êtres, des campagnes et des continents, du connu et de l'inconcevable.

Je tentais de capturer tes hanches ondulant autour de moi, captivée par ce tour de taille sous ta ceinture de cuir dont se dégageait une odeur animale. Tu m'as écartée doucement, mais fermement, comme un rideau dont on refuse qu'il nous prive de la lumière. Le rideau est tombé sur la chaise qui était mienne, celle «entre» les deux couverts aux extrémités de la table. Tu étais un ciel cerné d'oiseaux; tu contemplais, devant toi, la mer glanée de ton désir d'elle. Tu l'écoutais ronronner au bout de la table, grosse des chants ancestraux, des pluies d'automne balayant les guerres, des obscurités du langage dévoilant l'univers intérieur, et tu déclamais un poème sans feuillet, presque sans mot, n'eussent été de tes lèvres qui remuaient, même les yeux fermés.

«Tu veux voir le Poème?» m'as-tu demandé. J'acquiesçai. «Alors quitte ce train, m'as-tu répondu, quitte la berge, la prairie, cette maison paternelle où tu viens à peine d'entrer, quitte le miroir, la voix éteinte de l'enfant annonciatrice du premier verbe dans ta langue, quitte tes yeux qui persistent à chercher un visage à l'effacement de tes origines, quitte tes oreilles aux aguets d'un sacrifice qui n'aura jamais eu lieu que dans l'assomption métaphorique de ta parole. Puis, écoute dans cette nuit sans fenêtre, par-delà le paysage

imperceptible à l'attente sans but, chaque son de ta voix évanouie dans le commencement et la fin accouplés, dans la
mémoire et le temps enchevêtrés, dans la naissance et l'agonie entrelacées, d'où surgissent le mur, la chambre, le vestibule, la sortie qui est l'entrée, et l'entrée le rêve de retourner
dans son berceau en quittant la terre natale sur un bateau,
sans nationalité ni destination. Tu le vois?» Voici le portail
hors des sens, mesurable par les sens, auquel il fallait prêter
ma cécité et ma surdité au-delà de ma vue, de mon ouïe surai-
guisées, et où se gravait le Poème.

J'étais le petit train, longeant le ciel et la mer, qui obser-
vait par toutes les fenêtres, l'horizon où l'horizon n'est plus
que le ciel et la mer emmêlés. Tchou! Tchou! Le sifflet plain-
tif ne les détournait plus et je fixais le stylet, devant, ouvrant
l'espace du livre afin de me livrer passage, me traçant le chemin vers l'île où le train ne s'arrêterait plus jamais: petit train
frayant sa voie vers l'Amour, et sa voix d'amour frayant le
Poème au-devant de la mort. Les feuillets du livre s'ou-
vraient jusqu'aux murs démantelés de l'horizon, jusqu'au
dispersement des troupeaux humains en autant d'individus
différenciés, ni vaincus ni victorieux, vocalistes d'un désir
irréductible où tu t'avançais dans ta voix, dans ta mort que
tu me lisais ligne à ligne, du bout des doigts, que je suivais
distraitement, absorbée par la boucle de ta ceinture. Une
main surgit soudain de la forêt que le petit train défrichait et
déposa un cadeau sur les rails.

> *I wish you a Merry Christmas!*
> *I wish you a Merry Christmas!*
> *I wish you a Merry Christmas!*
> *And a Happy New Year!*

La mer dans les yeux, je n'aurais pu déchiffrer ta carte
de souhaits, tes *Poems for a Dreamed Child*, dans cette enveloppe cachetée auparavant dans le train. Alors je défis précieusement l'emballage du cadeau: le «livre» de Life Savers!
Je l'ai ouvert, il était bien complet et tu m'as dit: «Mainte-

nant, ça va nous manquer.» Je ne pouvais plus parler. Je suis seule, pensais-je, mais ne meurs pas avec ma voix endormie sur le bord de la table, vacillant entre l'écho d'un cri d'enfant et l'inexprimable d'une langue sans âge. Ne meurs pas encore avec le gémissement de ma voix voguant vers l'autre monde, déçue de l'effacement de toute inscription au fronton d'un bercail, déçue du sacrifice qui n'aura jamais été que la scansion d'un manuscrit vers l'abîme inabordable, inhabitable, dont il s'ébauche. Malgré mon front ployant vers l'antre de mes bras, malgré mes pupilles immergées, ruisselant parmi des textes sans autre préliminaire que la justification d'un nom, ne meurs pas avant que ma renaissance sans père ni mère ne s'accomplisse sans issue, du simple tumulte vocal des bêtes, des choses, des hommes, de l'absence, des millions d'années, des femmes, de Dieu, de l'unique perception du Vide transmué en nombres, en rêves, en sociétés et en langues. Ne meurs pas avant qu'une parole inénonçable ne s'exhale de ma bouche et ne fût en mesure de réaliser le destin inexplicable de ma propre poésie.

L'on est restés ainsi, un temps indéfini, toi désirant la mer devant toi, moi retenant la mer en moi, tout à côté. À la télé, défilaient Jackie Gleason, Ed Sullivan, Red Skelton, Perry Como. Je dévorais des yeux ton livre d'images et ton livre de douceurs: les chocolats fourrés à la crème, estampillés des crocs de B et C, les bonbons forts unis ou rayés à sucer et à retourner en cachette dans leur chaudière, les pretzel qu'on vidait de leurs bretelles en laissant derrière les cœurs, les O'Henry grugés à mi-hauteur, les tuques entières de ma diarrhée, les pinottes à peaux dans une cacanne, les pinottes à vaisseaux éventrés d'un coup de pouce sur la proue, les pinottes emprisonnées, écrasées sous les forceps. Le samedi, couchée sur le tapis du salon, devant les comics de *la Patrie*, j'abandonnais à tes pieds ces peaux mortes et cœurs brisés, puis je m'enfuyais dehors.

Je rentre aujourd'hui après deux semaines, épuisée d'avoir tant fui de tous côtés, jusqu'à Québec, jusqu'à cette posture figée sur la rue des Ursulines, où je revois ces jeunes femmes et jeunes hommes en groupes séparés, se toisant du regard, dans un livre de photographies de *la Province de Québec* des années 50 que je feuilletais sans me lasser, enfant. Je rêvais d'être parmi elles pour te rencontrer parmi eux et en tournant la page, je nous retrouvais dans l'étreinte du matelot et de sa compagne au pied du cénotaphe du Square Dominion.

Nous venions de déménager les derniers effets de ma mère. Les hommes transportaient les meubles. Je lavais les planchers, les armoires, le lavabo; j'essayais en vain d'extirper de ma mémoire l'odeur de son corps absent, effaçant au fur et à mesure sous l'éponge l'ultime métaphore de son lieu. Les clés abandonnées dans l'armoire, je suis sortie avec ce gouffre sur mes talons où la maison de ma mère s'évaporait, et d'où toi, tu ressurgissais. J'ai couru devant moi, jusqu'à Québec, afin d'oublier qu'il n'existait plus rien de comparable à un ventre, à un antre: l'univers antérieur basculait entier dans ma tête. Ma course heurta de plein fouet ce mur du Manoir Sainte-Geneviève où la crise me terrassa sur le lit, le visage tourné vers la fenêtre pour me voir me défenestrer en bordure du square. La charpente secouée, je me crus une maison démantelée pièce à pièce. J'étais projetée du grenier aux fondations, dans ce puits forant la terre jusque de l'autre côté: la Chine qu'on murmure, enfant, l'alangue de sa folie fondatrice qu'on crie, enfant mort. Deux semaines loin de cette chambre de mon père, sans savoir où j'étais, d'où je reviens amnésique, aspirée par quelque vide m'abandonnant gisante dans un square, au pied d'un monument aux morts.

Alors j'ouvre le «livre», déchire le papier, arrache un Life Savers avec les dents. Tous ces bonbons que je traîne au fond de mon sac pour me retenir de défaillir au milieu de la foule ou de ma mémoire désertique, devant ton regard épousant le contour de cette mer inexistante à l'autre bout de la table. Voilà vers quoi je reviens lentement; après ces jours d'égarement et de remords, de délire et de plaisir coupable, je reviens vers cette maison qu'elle a quittée afin de te rejoindre à la même table, dans la même terre, dans le même lit.

J'ai refusé d'assister à ce rituel avant que je ne puisse l'accomplir moi-même dans ma langue et fenêtrer mon regard sur un monument funéraire à saluer debout, en hommage aux mémoires inconnues au pied desquelles se couche l'Écriture en chienne fidèle.

Il y a la mer qui vous transpire des yeux au souvenir d'une agonie qui vous a pris trois ans de votre vie et que vous réécrivez en trois mois car il n'y a plus un chat autour de vous: vous rentrez seule en 1929 dans une ville abandonnée, au cœur de la Dépression.

20

Tu sais bien que je reste fidèle
Je reviens à notre nid d'amour
Même ailleurs quand le plaisir m'appelle
Je n'y trouve qu'un charme trop court.

Tu chantes pour elle, toi qui n'as jamais chanté, et ton regard absent m'accule au supplice de la roue où le bâton du monde s'abat sur mes os, au bout de ma propre main. Je me souviens. J'ai fui là où j'étais si proche de tes yeux qu'ils me donnaient à lire la fin du monde à l'instant d'entamer le commencement du Poème. Car je vois le Poème à perte de vue, entrecroisant le bien et le mal, le foyer et l'exil, l'instantanéité et la pérennité, et ce regard au fond de mes yeux est le pressentiment d'un monde que le savoir ne reconnaît plus, l'intuition d'un être que la vie ignore.

Adossée contre la chaise, les poings ouverts sur les rouleaux de Life Savers qui traversent la table, je dors peut-être devant toi afin de prolonger ta présence à mes côtés, mais ne vois-tu pas dans le bercement de mes boucles, dans le soulèvement de ma poitrine, dans la douce brise de mon souffle, l'esclave nue au collier, libre et anonyme dans la chaîne des générations qui lui ont imposé son nom? Je croyais que tu ne m'avais jamais nommée même si tu prétendais m'appeler parfois, et j'ai ouvert la porte, l'espace du souvenir, pour conférer à cette vérité le contredit de ta voix: «C'est toi!» Oui, moi! dans la réalité de l'amour mon nom s'avère celui que l'autre me donne. Alors, ne te lève pas encore de table bien que je semble endormie en toi; je veille, inengendrée de ta bouche, à cueillir sur mes lèvres les flots de tes derniers soupirs. Ne te lève pas encore, attends que la vie de mes sens s'agite, se précipite sur l'enveloppe scellée de ton Poème et reconnaisse en haut de la page ma propre signature. Attends encore. «Je meurs», dis-tu.

Daddy!

I would have seized him again, begging him to stay, just to stay a little bit more. Daddy! Stay! I'd bury my head in his huge raincoat, I'd pull him back with the force of a titan, drag him near the red arm-chair and lay him down on me. I would have thought: will I lose him the moment he'll be entering me? but I was already fainting from pleasure as I was gripping his clothes. I came back to find squeezed in my arms the costume made by Natalia Goncharova for the beautiful horse in *Firebird*. I shed tears, neverending tears, as I was a child in her pink pyjama within her little bed, with this beautiful man at her side, covering her with blankets after he had drawn on the wall this huge horse and its spreading wings that whipped the air while his hands kept folding and unfolding.

And the wings spread on my back, on my hair, on my lips. Daddy, if I should die tonight, tell me all the things that would be left for you to say. His body leaned towards my ear: he whispered all the secrets the dead child has buried in me. Then he blew in my ear as if to confirm the words by which I'd be forced to live and he flew away, putting out the light, leaving me lying dead in front of the window. When I woke up in the still of the night, I drew the quilt on me. Pawing the ground, neighing like a poney, I opened the window where the stallion had flown, following up the track to the railway-station of the lost city in my mind, where the mare waited for him; I knew he had left their room window open to deliver me of the dead child in my womb.

I felt as if I stared at the wheel of time turning in pure emptiness, at the universe turning in the dark center of a

120

room and the air vibrated from all this moaning and wailing while he entered her softly and savagely. I recognized my mother since she wore the ear-ring I'd put in her grave while I'd wear the other all my life. Mommy! I cried, but she wouldn't listen and kept kissing my father whom I recognized by the grey hair at his temple I used to fondle with my fingers. Daddy! I cried, but he wouldn't listen and kept kissing my mother whom I recognized now in me, in my smile, in my tone of voice. And they separated. The man lifted the white sheet up to their chins. Both looked at me with the most loving eyes and without moving their lips, I heard them sing to me... The white sheet covered their mouth, their eyes, their hair and they fossilize in a minute.

You may lie now, you may die in peace, said I, before these recumbent figures of snow rising up in the middle of the world, transforming themselves in a light cloud. It crossed both windows to pass softly and savagely through my eyes and lose itself in the middle of nowhere in my mind. I stayed there, blinded by the white sheet of paper in my head, trying to write about the dead child, now in its rigor mortis at my feet. Will I stay the distant witness, or rush like a feverish accomplice on this woman who is I fighting to survive the impossible dream of the dead child torn from her by her own hands?

Holy night! Peaceful night!
All is dark, save the light.
Yonder where they sweet vigil keep,
O'er the Babe who in silent sleep.
Rests in heavenly peace, Rests in heavenly peace.

The Child is dead! Long live the Child! Les cris d'enfants me secouèrent de ma torpeur. C'était l'été à la fenêtre sur De Lanaudière, avec mes cinq sens pour reconnaître l'inutilité de la fuite et la nécessité de me risquer dans cette langue étrangère devenue mienne. Ainsi, j'étais née dans la ville de M et j'y demeurerais, ayant tout laissé derrière moi dans cette chambre phantasmée d'une ville imaginaire où je n'avais jamais réellement existé, mais d'où j'étais parlée et où j'allais aimer. C'était *l'Été ou les cinq sens*, l'imaginaire emmagasiné des siècles dans ma tête pour m'imaginer peut-être exister à travers cette possibilité de rêver encore devant la mort. Le sang coulait librement dans mon entrecuisse. Je me penchais à la fenêtre afin d'entendre les enfants dans la rue crier, afin d'entendre mon silence frayer l'espace d'un livre qui porterait en terre ce désir de m'anéantir et me tirerait de la vue de cet enfant mort à mes pieds qui pourtant m'avait libérée.

Je tenais à la main les roses à déposer sur la tombe de ma mère. Autour de moi gisaient la guitare et la flûte à bec de mon frère, l'accordéon de ma mère, les jeux de dames et de cribbage de mon père, les poupées de tous mes âges. Au mur, le coffre-fort resterait verrouillé sur son secret éternellement secret qui ne m'interdirait plus de parler. J'étais seule dans la pièce, tout avait fui par la porte entrouverte; je me suis levée pour la refermer. Temps passé et temps futur tremblant dans ce pur espace de l'esprit, continu, le présent éclatant dans l'espace de sa recréation, ne reverrais-je jamais le lieu qui me vit naître?

Je sursautai au bruit indistinct d'un objet qui chut près de mon oreille. J'ai regardé derrière: des oiseaux faisaient irruption dans le monde de C qui rampait hors du champ de vision de sa demeure ancestrale. Et je n'ai plus voulu dissimuler mon art, ma trahison préméditée de la réalité. J'ai ouvert grand la porte, empoigné au passage ton enveloppe scellée sur la table, ma Lettre pêle-mêle dans la couture d'un livre, et j'ai couru vers mon cri d'enfant dehors. J'ai quitté la voie ferrée, le refus de la beauté, les mots vides de la solitude qui les noue, l'attente d'un But. Dans cet état d'abandon extrême, j'ai couru dans un couloir blanc jusqu'à ce que j'atteigne, me semble-t-il, la limite du temps, la limite de ma conscience et de mon désir hors d'haleine. Je me retrouvai devant l'immense portail du Poème, perdu au milieu des images du langage comme la porte d'un cachot au milieu de la communauté; j'ai poussé l'interdit jusqu'à l'ouvrir sans simuler la peur, la faute ou l'effort surhumain. J'ai tout juste souhaité que la terre déserte son pays natal, que mes traces s'effacent du voyage à venir, et je suis entrée dans la Poésie, dans le silence d'un seul appel: «Suis-je encore un nom?», à l'exception du tintement persistant d'une chute à l'oreille dont cela, j'aurais pu l'affirmer, avait été jadis le réel.

Maintenant, moi, à peine un nom, à peine un reflet subsistant aux ombres du futur, à peine une vapeur se déposant sur l'âge naissant, pareille à la tache pressentie d'un visage humain, j'avançais vers le damier de la vie dont les frontières, les clôtures, les murs carrelaient l'inscrutable nostalgie de la Fusion. Dans le face à face avec ma vérité qui avait l'Amour pour visage et l'étrangeté du dépaysement pour proximité totale, je ne m'abîmais plus en ces Bouches d'eau et de feu, je ne m'enchevêtrais plus en quelque Être total, en son étreinte éperdue par les yeux. Lentement, entre la plante et l'humain, je me transfigurai en un cheval ailé: je franchis le grouillement frénétique des vivants et la masse pétrifiée des morts, la germination sans fin du désir et la floraison sans nombre des Enfers. À travers ce chaos de musique et de multitude, j'atteignis l'orée de l'île de M à l'aube du dernier jour de ma préexistence.

À mon étonnement, l'île de M avait disparu au sein des flots, à l'instar du bourgeon desséché dont la chute, peut-on dire, s'avère l'une des conditions d'émergence du réel. Pégase avait repris sa forme humaine, faillible. Je tâtai mon nombril du doigt dont la boursouflure s'était enfoncée dans la profondeur de mon être. Je sus que le train n'arriverait jamais à destination; il avait été le dernier reliquat d'un cordon ombilical cherchant à quoi se rattacher, jusqu'à la racine d'un monde encore incréé, et franchi le portail du Poème, personne n'en ressortait plus. J'affrontais la suprême Absence qui, tout à coup, à la lisière de cet œil liquide à la pupille engloutie, me faisait crier que j'étais l'île engouffrée dans l'oubli, dans l'isolement total d'un corps féminin: ainsi, moi-même étais-je l'île de M, ce nom unique surgi de quelque utérus primordial dans le ventre plus qu'humain de ma mère.

J'étais Personne, peut-être même, le cœur du Poème, la fontaine d'oubli jaillie de sa matrice. J'étais transmuée en un fragment d'infinité, en une parcelle d'intemporel, en un débris du sacrifice qui se dérogeait à la nécessité d'un salut. Au milieu de cette recréation du monde échafaudé depuis la dislocation de mon rêve le plus cher, je cherchai finalement un lit, le simple petit lit enflammé de *Juliette des Esprits*, afin que le baiser de mes géniteurs signe leur mémoire sur mes lèvres et ma propre entrée dans l'histoire. Les langues de feu écartées sous mes doigts, je plongeai dans les voiles des trois-mâts, poussée par de grands vents au largage du corps des serres de mon esprit.

La chute de l'objet à mon oreille atteint la vélocité qui la mue en un hurlement, tu subitement, quand le crayon s'abattant sur le plancher vola en éclats. L'enveloppe et le livre dans ma main explosèrent sous le choc: les oiseaux, hors de cage, s'ébrouèrent, voltigèrent entre ciel et terre. Je ramenai mon pouce dans ma bouche. Une pierre sombra dans l'opacité moelleuse de l'inconscience. Subsistait seul le grésillement sensuel d'ailes et de flammes, au centre de grandes lèvres, à l'horizon desquelles s'élevait, d'un phono d'époque, la voix éraillée, plaintive d'un hymne d'amour.

> Le ciel bleu sur nous peut s'effondrer
> Et la terre peut bien s'écrouler
> Que m'importe si tu m'aimes
> Je me fous du monde entier.

> Tant que l'amour inondera mes matins
> Tant que mon corps frémira sous tes mains
> Que m'importe les problèmes
> Mon amour puisque tu m'aimes.

21

Quelques centimètres, encore un filet blanc. Et des doigts abolissent la traînée lumineuse filtrant de l'entre-deux. Des mains s'embranchent. Une poussée vertigineuse extirpe deux ombres d'un abîme insondable, de quelque magma sans modelé. Les silhouettes traversent le tourbillon de la matière, le silence absolu dont elles sont, à chaque souffle défaillant, le râle muet qui croît jusqu'aux limites de l'audible. Le couple ressuscite des morts. Comment entendre autrement le puits béant qui gronde derrière eux, dans les ondulations infinies de l'Ombre où ils tentent de se redresser comme l'animal sur ses pattes, tombant par amour aux pieds des maîtres qu'ils n'osent oublier. À tâtons, ils grandissent hors du placenta de la nuit et, d'un seul cri parvenu sur leurs lèvres, se lèvent des flots du ruissellement permanent du vide dans la loi, du cycle de la destruction dans le cycle de la création. Là, ils se reconnaissent, debout et nus dans la langue depuis la mémoire de l'Absence d'où sourd le nombril du monde, chacun soudé à l'Autre et pourtant solitaire, chacun nommé par l'Autre et pourtant anonyme.

Main dans la main, ils s'enfoncent dans la poussière des commencements où ils retourneront en poussière. Ils filent sur ces routes sans feux ni panneaux indicateurs. La marée mugit sur leurs talons, la meute déferle sur leurs reins en autant de coups de fouet les attelant au chariot des vivants et des morts, et pourtant chacun errant sans filiation dans l'existence, chacun amarré aux seuls yeux d'un seul amour à ses côtés. Ils frayent l'écho à la plainte sur leurs lèvres, parfois secouent ces barreaux de bras humains qui refoulent l'insoutenable liberté de vivre, et pourtant chacun enfantant l'espace sous ses pas, le temps sous ses baisers, chacun livré au pur délaissement dans son entière liberté. Ils atteignent par cette voie intracée, surgie d'une mer intangible qui n'a d'origine que dans la mélancolie de leurs entrailles accouchant d'une Mère infaillible, affublée de tous les noms de Sauveurs, la saignée d'une ruelle les menant à la conscience de leur dérive dans ce continent impensé qui cède tous les cent ans au mythe sanglant d'un paradis sur terre.

Dans l'Ombre qui s'effiloche sous leurs pieds, se découpent d'autres ombres aux contours fluctuants dans la noirceur du temps. Sur les murs des hangars, dans les chantiers de démolition, elles se détachent lentement de l'embrun comme un tremblement dans l'obscurité qui s'avance jusqu'à assumer les traits d'une bête indéfinie se vêlant de la vacuité par son avidité d'eau, puis jusqu'à se plier par nécessité intérieure à la physionomie d'un être humain. Les ombres sont nettes au détour d'un terrain vague dont l'odeur subite de putréfaction accélère la cadence de la foulée. Surgissent, en éclairs fantomatiques sur le tricot des clôtures, l'arc d'un muscle, le profil d'un poing, le tracé d'une mâchoire ouverte sur l'effroi, car les ombres tranchées fuient le meurtre de l'Autre démultiplié à l'infini dans les charniers de l'histoire qui démarquent les sociétés humaines du simple rassemblement des bêtes. Sur le transept d'un monument en ruines, sur les cloisons au milieu d'un éboulis, se dévoilent en contrechamp le gonflement de son sexe, la rondeur de ses seins, la largeur de son poitrail, la fermeté de ses cuisses.

Un homme et une femme sortent de l'Ombre, pétris d'ombres, à l'orée d'une avenue où débouchent, d'une infinité de ruelles, de rues, de sentiers, les mêmes flots d'hommes et de femmes. Mille formes noyées de lumière au milieu du crépuscule qui n'est plus l'Ombre, mais l'espoir d'une aube, enfoncent leurs ongles dans le visage évanescent de la nuit qui n'est plus la nuit, mais le souvenir effacé du jour. Ils

126

renversent de leurs coudes les murailles invisibles des interdits de l'époque, courent vers l'innommable mélodie de leur halètement contre le musèlement du temps. Ils empruntent la voie filant entre des myriades de gares et de ports où le monde agonise ou s'accouche, s'embrase ou se brise, sous un ciel qui s'arrache par lambeaux, traversé de bombardiers et de zeppelins, et qui poudroie sur des torpédos et des calèches tirées par des chevaux épuisés. Ils montent vers le cœur de la cité mythique, en récompense de l'apprentissage forcé de la langue, or voilà qu'ils la déclament en chœur, à la façon d'une prière, en récitant les vers du *Cimetière marin*.

Il tient entre ses doigts un crayon qui fond. Elle presse dans sa main une feuille qui givre. Ils croisent qui s'enlacent, se séparent, se frappent, se parlent à travers les déserts ou l'insaisissable des siècles de respiration sans visage dans la perpétuation de la langue, et ils atteignent enfin le cœur de l'étoile où se délestent de leurs rêves vivants de multiples avenues. Dans la nuit bleue d'où la nuit est absente, dont le bleu est l'approximation verbale de l'absence totale de paysage qui s'y incarne, une masse de gens défilent religieusement. Au cœur de la ville inexistante, ils dérobent à la vue ce qui s'y érigera lentement, à mesure que, debout et nu dans une file d'attente, le couple s'approprie ce que l'être se dissimule au regard: un point dans l'esprit humain métaphorisé en mausolée, dont le motif se perd dans la mémoire de l'espèce et dont il reste ce trou de serrure dans une nuit de Noël, cette percée dans un mur sans pourtour, vers quoi se penchent les peeping Tom de toute éternité.

À travers le frimas de ces années inconciliables, à ce réveillon de l'an zéro, l'homme et la femme se penchent et aperçoivent, interloqués, une inconnue au tablier et au bonnet blancs saluant un étranger en uniforme militaire: le Couple se parle pour la première fois. Et elle le sait dorénavant, en ce moment irrécupérable du néant, en cette seconde perdue de sa préexistence, en ce temps inimaginable et d'aucune remémoration, jamais la voyeuse n'aura su qui était le plus beau des deux!

I'm fainting! I'm fainting!

La jeune femme défaille sous l'infini du ciel qui la transperce d'un nom, Le Cordon bleu: l'ombilic de son désir l'accouplant aux corps disparus soudain du carrefour. La cité funéraire se désagrège au bord de ses lèvres. Elle décline la deuxième personne du singulier sous une pluie de cendres qui recouvre ses chairs. Car le couple se retrouve couché, seul et nu au milieu du royaume évanoui, dans la dissémination des manuscrits, chacun vivant de l'Autre et pourtant mourant sans lui.

I'm fainting! I'm fainting!

Un tourbillon d'air et d'eau la propulse dans le ciel éclaté de sa langue où tintent des grelots, rugissent des sirènes, où se dessillent des yeux invisibles derrière ses yeux qui voient maintenant aux confins du souvenir les lumières de la ville de M où elle vagit d'entre les cuisses de sa mère, les lumières de la ville d'O où elle jouit de l'autre entre ses cuisses. Se retournant, en vol dans le ciel déflagré de sa bouche, elle voit le fleuve se jeter dans l'océan, et l'océan sur d'autres continents, et les continents en de multiples espaces cosmiques. Elle entend les milliers de batailles d'Arbèles hanter l'appréhension de l'unique guerre nucléaire, et la surdité de sa propre quête archaïque traversant le désert de son cri par les cuisses.

I'm fainting! I'm fainting!

Des géographies entières se hérissent et s'abîment, des millions de soleils se lèvent et se couchent, des nuées innumérables de sons, de noms, de silences se cristallisent et s'effritent. Des étoiles tombent qui annoncent, au-delà de la fin du monde, le commencement du Poème où s'entrelacent deux écritures à jamais indiscernables l'une de l'autre. Les mondes se dilapident dans ses pupilles dilatées où s'engloutit l'inaltérable voix aimée. Le visible, l'audible, le tactile se fendillent, et un texte illisible, buriné dans une pierre soutenue par des voiles au milieu de l'atmosphère, pénètre ses yeux révulsés, telle une vague souvenance d'un chant d'enfant.

Jack and Jill went up the hill
To fetch a pail of water
Jack fell down and broke his bounds
And Jill came sighing after him.

December 1941. The pencil smashed up on the floor. On her lips summer came and sang forever.

History began.

22

It was falling from the sky, slowly, gently, opening and scattering itself like a mild rain or snowfall, shy tears or words. Between sky and earth, the white sheets of paper were spreading, calm memories of past wars and unforgotten forgiveness. The swirl of dust came down like strange roads in mid air stretching down to the valley of oblivion. It touched the ground in different places and ages. Few wings stroke for many years like wounds still fresh in the memory. Dead leaves disintegrated on the ground. Some loose sheets sank in the mud, others whirled in the wind. They were the old skins turning into history as the free body flew through the mirror and, on the other side, slipped in and out of words, the sole world known to men and women. Could be read what had been written from the beginning without being able to deliver itself, for if longing for the sea, it still was longing for the earth, the good earth, with its smells of tears, blood, and restless fights.

CAROLE HÉBERT

POEMS
FOR THE DEAD
CHILDREN

III

You'd never forget the sea.
It would be roaring behind you
Sleeping in you and sighing ahead of you.
But then you'd never climb a tree to see it
Or dig your head into the ground to wipe it off
     your mind.
The sea would be a memory clinging in your memory
Like the smell of a dress that caresses you
In your beliefs and faithfulness to death
Or the moisture of a voice when it hummed you
     to sleep
Amidst the rumbles of cars trains planes
     and ferry-boats.
It would be what was lulling you to dream
And opening your arms in the middle of the night
With the want to feel the dream come true.

V

You'd always be walking between the sea
    and the earth
In every distant land you'd be sharing or just crossing
In every living language where you'd be loving
    or dying.
You'd always be strolling along the shadows
    of your dreams
The shadows of the loved ones and your own shadow
The blind arch of your days
From dawn to sunset
With your breath in the clasp of your hand to care for
As if it were the only child that won't leave you
Until you draw the last window shade
Or the last name
You'd been giving yourself
In your last story.

VII

You might wish to pass out of mind
With all those dead children you bear in mind.
But then they have borne you this lust of words
To recall you in them and them in you
This endless search of your dying soul
     in the mist of life
With eyes of water and sand
Earth-bound and sea-bound
In the middle of nowhere
Nothing and nobody.

XI

You may have wanted to live behind you
And die in front of you.
But you've always been striving with you
Beside you
Struggling with time past and time future
Amid time present torn open by internal wars.
You may have been stripped of your last cry
Or struck in your first song
You travelled round your time
Your unbearable present
Yet timeless and therefore unburied time.

XII

You shrink in fear yet withstand the mightiest blows
Not knowing how or why
Just grasping your everlasting unanswered questions
And unquestionable nights
When you pray you might laugh or smile
    by the morning
In seeing what time is left to laugh and smile
While your children have gone to school
And will come back in your writing
In your secret dreams that aren't dreams
But reminiscences of parallel times
And the very essence of your real and unreal being.

XVI

It may occur to you that you have died many times
In a hundred ways
In a thousand words.
Still you are speaking the manner and the style
The color of this unspoken pain in your chest
In your ears or in your knees when you bow
And reach the eyes of this infant shadow of yours
To read aloud all that you'll never know
      for having known
Without the proper space or language to bury it in
Still not knowing what you read or write by those eyes
That stay wide open
Even while you cling to the hole of your bed
Running away from what was on the brink
      of knowing itself
Instead of deluding yourself.

XVIII

It may take all your time to stand up to your time
To unsettle your stiff blindness
To withdraw in the light of your forgiveness
And forgotten wounds.
But then this is your only time
To see the impressions of unique words in your flesh
Unique faces in your tongue
To see the imprint of one other on yourself
With the lasting effects that make you stride
        the streets
In the invisible cities of remembrance and re-creation.

XXI

You ride the storm
Crude blaze of searchlights within fading undercities
Or uprooted houses in the darkroom of your exile
Streaked with shooting stars
As if you were a sky blown out of its spring
Or just split in two with your spirit crushed in between.
Yet the book has come to stay
Even though you close the books to be able
      to rewrite one
Shift the furniture
The scenery and the names.
The words still have come to say
Who has come to grief
For what has come to pieces.

XXIV

Sometimes you hound yourself down in the hours
    of need
When your hair falls apart on the floor
Like untied roots for you to put aside in little jars
Buried in your native soil
Or when you speak in another one's voice
Your unheard sob and dead silence
So as to knock your teeth out of your mouth
Keep your shouts from whispering
Shove away the crowd of wants that mutter
And mother you.

XXVII

Sometimes you murder your truth
Proving to friends that you must have missed the train
Missed your entrance in the world
Or just missed a word surely
That would have given you the key to the unknown
The unpredictable.
So you move back
From where you lost the Truth
And were beginning to glance at your truth
Through the gesture of your hand rubbing the paper
Erasing all paths behind the stroke of the pen
Wiping out any goal in the broken lines ahead
In the wrinkles of emotion
That skim your thoughts in tears.

XXXI

You say what isn't said in your unspoken tongue
Which you hide in your spoken language.
You say what you can never say
For you speak inasmuch as you can't say a word.
You say what you do not say
For what you say has already been said.
You do not speak the Truth.
You speak what you say can't be your truth.
The Truth vanishes
And you vanish in front of your truth.

XXXIII

At other times you turn to ice
In the blazing sorrow that you have lost your tongue
To a very well-bred speech you wrestle with
By pointing at words like ''secret''
''Unnamable''
''Mystery''
Or by lifting your eyes to the sun
And letting them burn to ashes.
Until the summer you long for
Cry for
With the green spots on your dress or legs
Like strolling meadows
Brings up the unnamed place which names you
In an unpronounceable name
And seizes you in an untranslatable
Rapture.

XXXVI

And the rapture leaves you speechless
Unmentionable
Unwomanly
For it leaves you unwritten
With the burden of delivering yourself
As one unties a knot
Gets rid of her suitcase
Or challenges the madwoman in herself.
You break through the sound barrier.
You hear what isn't heard of yourself
In yourself.
You hear what you hear that hurts you
By not hearing you.
You are spoken of without a hearing
Listened to in pure deafness.

XXXIX

You hear your voice calling from an unknown voice.
"May? May?"
You search in your memory
Deeply encrusted in your eyes.
You search where the scene is laid
Where this call uplifts itself.
"May? May?"
You may not find right away.
You may glean some anger
That still yells in you
Catch a glimpse of yester-night's cravings.
You try to recollect
Or within your memory melt your childhood memory
And the memory of your book child-bearing.
You had
Some day
To wonder if you may exist.

XL

"May! May!"
You open your eyes in your eyes
Those invisible eyes in yester-year's eyes
Those inscrutable eyes in the blind alley of your
Beginning
And may bleed to death.
So you close your eyes
On this illegible vision of your inner eyes
And find yourself in the sight of summer
Behind the blinds lifted from your last supplication.
"May... May..."

XLII

May sees trees
Birds
Roads
Houses
People laid upon the roads
That cross houses pierced
By trees sneaking through the windows
With birds fleeing from inside to disappear in thin air.
A voice passes through the gates.
She sees what she seeks on the tip of her tongue.
"Yes? Yes?"
She seeks this voice near her
In place of her father
Of her lover
Of an unknown reader.
"Yes. Yes."
To her own quest
She answers
"I love you".

XLVII

May sees a man
Bare
In front of her eyes
Who was calling her
"May. May."
In the deep of the night
Where she lies beside him
May opens her arms.
The dream comes true:
Being nearest one's voice
By hearing it in his mother tongue.
And May kisses him
Bare in her mind
As she slips in oblivion
While bursting open the door of her cage
Chirping that she may live
May love
May laugh
On the outskirts of nowhere
Nothing
Nobody.

XLIX

May
And the man stay embraced
On the verge of setting out
For some future cities
And stories
Where they'll report:
Repletion
Is a mere mirage.
Yet all the same
Claim one's right to
One's own delusion.
They set forth
In search of this truth
That isn't truth anymore
But the simple way
To exceed all beliefs
And still believe each one has
Something unique to say.
Believe in one's own writing
One's own running to waste
In the waste land
Of nowhere
For nothing
Within Nobody.

éditions LES HERBES ROUGES
titres disponibles

André Beaudet, *Littérature l'imposture*
Claude Beausoleil, *Avatars du trait*
Claude Beausoleil, *Motilité*
Nicole Brossard, *La Partie pour le tout*
Nicole Brossard, *Journal intime*
Paul Chamberland, *Genèses*
François Charron, *Persister et se maintenir dans les vertiges
    de la terre qui demeurent sans fin*
François Charron, *Interventions politiques*
François Charron, *Pirouette par hasard poésie*
François Charron, *Peinture automatiste* précédé de *Qui parle
    dans la théorie?*
François Charron, *1980*
François Charron, *Je suis ce que je suis*
François Charron, *François*
Hugues Corriveau, *Forcément dans la tête*
Normand de Bellefeuille et Roger Des Roches, *Pourvu que ça ait
    mon nom*
Normand de Bellefeuille, *Le Livre du devoir*
Roger Des Roches, *Corps accessoires*
Roger Des Roches, *L'Enfance d'yeux* suivi de *Interstice*
Roger Des Roches, *Autour de Françoise Sagan indélébile*
Roger Des Roches, *«Tous, corps accessoires...»* poèmes et proses,
    1969-1973
Roger Des Roches, *L'Imagination laïque*
Raoul Duguay, *Ruts*
Raoul Duguay, *Or le cycle du sang dure donc*
Lucien Francoeur, *Les Grands Spectacles*
Huguette Gaulin, *Lecture en vélocipède*
André Gervais, *Hom storm grom* suivi de *Pré prisme aire urgence*
Carole Massé, *Dieu*
Carole Massé, *L'Existence*
André Roy, *L'Espace de voir*
André Roy, *En image de ça*
André Roy, *Les Passions du samedi*
André Roy, *Les Sept Jours de la jouissance*
Patrick Straram le bison ravi, *one + one Cinémarx
    & Rolling Stones*
France Théoret, *Une voix pour Odile*
France Théoret, *Nous parlerons comme on écrit*

Laurent-Michel Vacher, *Pour un matérialisme vulgaire*
Yolande Villemaire, *La Vie en prose*
Yolande Villemaire, *Ange Amazone*
Yolande Villemaire, *Belles de nuit*
Josée Yvon, *Travesties-kamikaze*